张小娴作品集

5

张小娴小说系列

啊！不要长大！

贴身感觉

欲望的鸵鸟

珍藏版

知识出版社

本书中文简体字版经香港明心社有限公司授权出版发行
北京市版权局著作权登记号：图字：01－2000－0181号

图书在版编目（CIP）数据

（张小娴作品集）/ 张小娴著 . － 北京：知识出版社，2001.9

ISBN 7－5015－2573－0

Ⅰ . 张…　　Ⅱ . 张…　　Ⅲ . － 作品集 － 中国 － 当代
Ⅳ .1267

中国版本图书馆 CIP 数据核字（2001）第 02497 号

责任编辑：于瑞玺
封面设计：刘家峰
版式设计：张　清
责任印刷：徐继康

知识出版社出版发行

（100037　　北京阜成门北大街17号　　电话：　6834259）
河北省大厂回族自治县第一胶印厂印刷　新华书店经销
2000 年 9 月第 1 版　　2000 年 9 月第 1 次印刷
开本：850 毫米 x1168 毫米　1/32　印张：10
字数：215 千字　　印数：1—3000 册
定价：17.00 元

自 序

从一九九三年到现在，我写作已经有七年了，我的书，先后在香港、台湾、新加坡、马来西亚、美加和韩国出版。今年正式授权知识出版社在全国出版发行。能够面对中国大陆的读者，是我的荣幸。从此以后，盗版的问题相信也可以解决了。

一直以来，也听说大陆有不少我的盗版书。这些书，在广州和深圳随处可以买到。我的许多文章，更给盗版商收录在刘墉先生和席绢小姐的书里，变成他们的作品。在互联网上，我的文章也经常给别人盗用了。眼看自己的心血被人掠夺，我能够做的事却十分有限。

我写的，都是寻常生活里的感受。对一个女孩子来说，生活里最可回味的，往往是爱情。对爱情的渴求，我相信是没有疆界的。我先后去过新加坡、马来西亚等国以及台湾举办座谈会和替我的新书做宣传，因此有机会接触我的读者。对于爱情，我们都有许多共鸣。有人说，音乐是全人类共通的语言。爱情又何尝不是一种大家都了解的语言？没有人是不懂爱的。爱情只有谎言，而没有方言。虽然没有一段爱情是相同的，但我们对爱情的期盼和体会，我们的喜乐和忧伤，都是可以分享的。

我常常收到读者写给我的电子邮件和书信，他们把自己的爱情故事告诉我，然后征求我的意见。成为爱情专家，原非我所想。我只是一个写作的人。我写我相信和我所寻找的感情。没有一个人是相同的，但是，我们同样都会为情人所做的事而感动，我们也同样会因为情人的冷淡而茫然。

天长日久，我们渐渐明白，爱情也是一种修为。我们在追逐情爱的岁月里，终于发现，爱情不是两个人或者三个人的事，而是一个人的事。爱情，是自身的圆满。当你了解爱情，你也了解人生。

中国大陆的女孩子，跟世界上其他地方的女孩子也是没分别的吧？我们的条件愈来愈好，我们的眼界愈来愈广阔，对于人生，我们的要求也愈来愈高。我们既要爱情，也要自己的生活。我们既要亲密的关系，也要自我的空间。我们爱一个我们崇拜的男人，但我们也同时能够接受他的软弱。我们能够坚强地面对工作的挑战，却也想念一个温柔的怀抱。千百年来，中国女人都是忠于爱情的。活在今天，我们有更多的选择。

未来的日子，我希望借着我的作品，和大家一起去寻觅一段我们能为之矢志不渝的爱情。

张小娴

2000 年 2 月 1 日写于香港家中

目录

不要长大

目录

2

目录

贴身感觉

目录

4

目录 鸵鸟

目录

6

啊！不要长大！

张小娴散文系列

愈来愈厚的脸皮

你有这种经验吗?年少时候坐小巴,总是觉得在车上高叫"有落!"是一件很尴尬的事。于是,惟有希望有人跟你在同一个地方下车,由他开口做这件丑事。

可是,并不是每一次你都这么幸运,我头一次鼓足勇气,在众目睽睽下高叫"前面有落",换来的是司机凶巴巴地说:"前面不能落!"

没有人天生脸皮厚的,我们曾经都是脸皮很薄的人,只是,生活磨人,脸皮也和脚底一样,愈来愈厚。

于是,某一天,我们可以在一辆坐满乘客的小巴上高叫"司机,前面有落广而一点也不觉得难堪,一点也不脸红。

我们可以站在街上看热闹,并且跟身边的陌生人攀谈。

我们买东西时可以无耻地讲价,把人家开出的价钱减少一半。

小时候,我曾经不明白妈妈的脸皮为什么比我厚。她在街市买猪肉时竟要求老板送她一块猪骨,买菜时又要对方送两棵葱,买任何东西都要讲价,人家不肯就范时,就装着"哼,我不买了。"一边拖着我走一边等对方叫她回去,然后得意地买下便宜东西。

原来,都是因为生活。一张脸皮的厚度,是练回来的。

啊！不要长大！

有没有想过，我们长大之后，要克服多少事情?格林出版社出版的《啊!烦恼》是英国女作家莎拉米达亲自绘图的作品。这一本漂亮的童话书，写的是成长的甜酸苦辣。

作者说，长大以后，我们要克服的事情包括：

退缩、脸红、害羞、青春痘。

打嗝、被忽视、婴儿肥、乱七八糟不整齐。

吃吃傻笑、害怕异性、绷着脸生气、咬指甲。

盯着东西一直看，挖鼻?L、讨厌牙刷和梳子。

自私、吐舌头、吮大拇指。

乱发脾气、长雀斑。

而在寻找自我的过程里，我们才知道，长大之后，要面对死亡、要负责任、需要被爱、必须不断对别人解释自己的意思，要在冲动和理性之间作决定。

你呢?你又吃过了多少甜酸苦辣，克服了多少难题?

我们好不容易才克服了婴儿肥，却又明白，每个人终须一死。我们克服了退缩，却被迫面对一些自己不愿意面对的事情，然后，我们又学习去克服。

长大，是一个妥协的过程。

长育时期的心事

发育时期，我们最担心的，是自己比不上别人。

我会不会长得比别人矮小？

我的胸部，会不会比不上别人？

我会不会没有别人那么漂亮？

我会不会比不上别人聪明？

我会不会没有男孩子喜欢？

所有这些心事，只能藏在心底。我们甚至不敢告诉同伴。你怎么可能跟她说："我希望我比你漂亮！"

男孩子在发育时期会脱胎换骨。隔了一个暑假再见，他们长高了许多，声音改变了，样子也变得迷人了。女孩子却不同，女孩子要脱胎换骨，是要等到成年之后。当她恋爱，或者失恋，她也许会变漂亮。

女孩子的发育时期，是一场与同伴的竞赛。几只丑小鸭会聚在一起品评另一些同学。

"她只有二十九寸半！"

"她还穿小女孩的裙子哩！"

"她总是以为自己很漂亮！"

这几只丑小鸭，或许有一天会变成天鹅，或许不会。

到了后发育时期，我们不再担心身高和胸部的大小，这一切已是不可改变的了。我们仍然担心的是：我会不会没有男孩子喜欢？

什么都输给朋友

你曾经有没有以下这些感觉?

你觉得自己比不上身边的朋友漂亮。

你比不上她的聪明。

你的才华比不上她们。

你没有她们那么幸福。

你喜欢的男孩子都觉得她们比你有吸引力。

你的运气也比不上她们。

你很妒忌身边的人。虽然表面上好像满不在乎,但内心却很痛苦。明知道这样对自己没有好处,然而,你就是没法不去跟好朋友比较。

你的人生已经走完了吗?你还有很长的路要走,你怎知道自己没机会后来居上?

有谁知道是谁微笑到最后? 光是坐在那里妒忌或羡慕朋友,为什么不去发掘自己的优点呢?

你难道没有发现那些长得好看的男人最后都会娶了一位不漂亮的太太吗?

好男人不一定永远落在美女手上。只要你肯去争取,还是有机会的。

知道自己没有别人那么聪明,那你可不可以将勤补拙?

什么都输给朋友,但也不会因此妒忌朋友和小觑自己,这已经是一个很大的优点。你为什么不学习去欣赏自己?

不要讨厌自己

有人问："你讨厌自己吗？"

我为什么要讨厌自己呢？我从来没有一刻讨厌自己。我曾经讨厌现实、讨厌身边的人、讨厌我爱过的人；可是，我不讨厌自己。

我可以避开我讨厌的人。然而，无论我多么讨厌自己，我每天还是会从镜中看到自己，我还是要跟这个我长相厮守。那样的话，讨厌自己又有什么意思呢？倒不如努力去喜欢自己。

讨厌自己的话，什么事也做不成。如果我不被人所爱，并不是因为我讨厌。如果我没有成功，也不是因为我讨厌。一个惹人讨厌的人，是因为他做的事情太讨厌。

讨厌自己，是多么的悲凉！

那人说："没有讨厌过自己的人，是幸福的。"

她是讨厌过自己的吧？

我也有不喜欢自己的时候，但是，那还不至于讨厌。永远不要因为别人对你所做的事而讨厌自己。

小车厘子的"怀念"

一位署名"小车厘子"的中五毕业生说，今年农历五假期前，老师给了她两个作文题目，分别是："中五毕业有感"和"怀念"。

小车厘子对中五毕业没什么感受，只是害怕会考，所以，她选择了"怀念"这个题目，问题是她找不到有什么东西来怀念。

她问，怀念什么东西会较特别和容易令人感动。

怀念一般人通常不会怀念的东西，那就比较特别。怀念一般人也怀念的东西，那就比较容易令人感动。听来好笑，事实就是这样。

怀念父亲的背影、母亲折的纸船、逝去的儿子等等，但凡和亲情有关的回忆，只要写得好，都比较容易令人感动。亲情是千古不变，感人至深的题材，如果你的亲情不感人，那没关系，你可以创作一段感人肺腑的亲情，那个人可以是你的祖父母、外祖父母，甚至是一个与你有特别感情的舅父。

万一实在找不到一个人来怀念，那就怀念一头宠物吧，它可以是逝去的猫儿或狗儿。你连宠物也没有？那么，不如怀念成长里一些难忘的片段，譬如童年的趣事、一个对你影响至深的老师、一次旅行，甚至是一件玩具。你也可以细微到只怀念一个拥抱、一个眼神、一句说话，但那不容易写得好。

你的成长过程中没有什么值得你怀念的片段？就杜撰一些出来吧。题目只有两个，要写得好，只能逼自己爱上你所选择的题目，你一定有，一些东西值得怀念的，正如我们常常以为自己一定有一些地方让人怀念。

一天之后，已成往事

无论多么风光或多么糟糕的事情，一天之后，便会成为过去。所以，何必太在乎呢?

你的风光或你的失意，只有你自己记得最清楚。能够放开怀抱，便没有什么大不了。

读书时很爱演话剧。那时候，花了好几个月筹备和彩排一套戏，结果，只演一场。戏演完了，我们彻夜在剧院里收拾东西。那一刻的感觉，无限寂寞。

做了那么多准备工夫，投入了那么多心血，付出了那么努力。一夜之后，灯火已经阑珊。

后来，不再喜欢演话剧了。

这些年来，做了很多不同的事情。每一次，都很在乎成果，也很在乎自己的表现。那么紧张，自然会给自己和身旁的人很大压力。渐渐，我发现我把问题看得太严重了。

我们习惯了什么事情都联想到一生一世。

我以后怎么见人?

我这辈子怎么办?

别人会怎样看我?

其实，除我你自己之外，有谁更在乎呢?快乐或失意，一天之后，已成往事。

过去的"锋芒毕露"

小时候，对"锋芒毕露"这四个字无限向往。真想做一个锋芒毕露的小孩子呀!

于是，我常常在班里主动的逗同学和老师发笑。虽不至于标奇立异，但我渴望受每一个人注意。

我喜欢坐在最前排，让老师看到我。我勇于举手回答老师的问题；当然，没做功课的时候，我会变得很安静。

我尽量参加课外活动，表现自己的才华。念小六的时候，学校里每个修女和老师也认识我。

上中学的时候，我参加了排球队，因为排球队是最出风头的。后来，我更当上了队长。我演话剧，又参加运动会。

我努力向"锋芒毕露"迈进。

突然，有一天，我不再向往这一切。

当我开始了解自己，我才发现我是好胜的，而不是喜欢出风头。我喜欢独来独往，不喜欢被人簇拥着。我不爱站在台上。

年少的时候，不了解自己，又想得到别人的关心，使人误以为自己喜欢锋芒毕露。而我，根本就不是一个锋芒毕露的人。

我只想静静的做自己喜欢的事，别人最好不要来搞我。

我害怕锋芒毕露之后的寂寥。做一个低调的人，日子会快乐许多。

人在成长的过程里，也会误解过自己吧y当我们终于找到自己，会否为从前所做的事抹一把汗，或者是脸红起来?

半个蓝莓松饼

最好吃的蓝莓松饼，在中环的文华饼店。

我不爱吃甜，可是，每次看到那些蓝莓松饼，也抵受不住诱惑，告诉自己："就吃一个吧！"

他们的蓝莓松饼很好卖。平日五点钟左右已经卖光，来迟了，只好等明天。每次到中环，我会自己买一个，另外再买一些给朋友。

表哥在中环工作，一次，我买了一个蓝莓松饼和一个香肠给他做下午茶，千叮万嘱："这个蓝莓松饼很好吃的，你一定要吃！"因为他生性慷慨，我怕他会去请同事吃。

第二天，我在电话里问他：

"那个蓝莓松饼你吃了没有？"

"吃了半个。"他说。

"为什么只吃半个？不好吃吗？"

"不，太好吃了！

"那为什么你只吃半个？"

"剩下的半个，我拿回去锅妈妈吃。"他说。

我真的很惭愧。他已经五十岁，是四个孩子的父亲。其中两个，已经大学毕业了。我舅母，即是他妈妈也八十多岁了。

当我吃到什么好吃的东西，我首先想到的，是买给自己喜欢的男人吃，而不是买给我爸爸妈妈吃。知道哪里的东西好吃，我会带他们去吃，但我从来没有把好吃的东西留一半给他们。

爸爸，请不要再早到

我怕跟父母约会，他们总是到得特别早。约好了一点钟在酒楼饮茶，十二点十五分已经收到他们的电话说："我们已经到了，你不用急。"

结果惟有匆匆赶去，去到了，发现他们干坐着等我，点心也不肯叫。

父亲节那天，约好一点三十分回去接爸爸，因有事要晚一点才到，一点钟打电话回家，妈妈说："他已经在楼下等你。"

跟年老的父母约会，压力无比沉重。

人老了，睡得特别少，时间好像过得特别长。儿女整天在外头，难得见面，一旦跟儿女约会，老人家便特别兴奋，心情犹如年轻时跟情人约会。约他们喝早茶，意思是早上十一点钟，他们凌晨五点已经起床等候。约他们吃午饭，他们清晨七点钟就起来准备。约他们吃晚饭，他们下午三点钟就准备出去。说好回家吃晚饭，更不得了，他们前一晚就开始煲鱼翅。

抽空回去跟父母吃饭，本来觉得自己很孝顺。他们过早的等待和热切的盼望，却忽然使我觉得自己不孝顺。父母余下的日子应该比我少，我的时间应该是比他们多的，但是每次见面，总是令我觉得，我的时间太少，而父母的时间太多。

一回，约好爸爸吃晚饭，因赶不起稿，打电话给他说要改期，他在电话那边说："不要紧，不要紧。"原来他特意去剪了一个发。

有时候，我宁愿爸爸像年轻时一样，我永远不知道他什么时候回家。

妈妈做的东西好吃？

许多爱夸耀自己妈妈做的东西好吃，我很怀疑其中多少人说的是真话。

有位朋友常常说他妈妈做的小菜好吃，终于等到他邀请我们回家吃饭。他妈妈做的小菜只是很普通，没他说得那么精采。

认为妈妈弄的食物是全世界最好的，那是一厢情愿罢了。这方面，我非常清醒，我妈妈做的东西很难吃。每逢节日，我们都宁愿上馆子吃饭，那么就不用吃妈妈做的菜。妈妈一说要亲自下厨，我们都吓得作鸟兽散。

十多年前，舅父病重，在医院住了很多天，医生说他快不行了。一天，他在病榻上忽然说很想吃红烧无蹄，要我妈妈做一只元蹄带去医院给他吃。虽然明知道不应该让他吃肥猪肉，妈妈还是亲自做了一只红烧元蹄带去给他。

这件事还是几天前舅母告诉我的。

我暗暗佩服舅父的品味，我妈妈做的菜都不好吃，惟独那一道红烧元蹄比较好。舅父病得模模糊糊，这方面倒十分清醒；况且，病人吃药吃得多了，味觉早就失去，已经分不出各种味道。临终前忽然很想吃一种食物，吃的不是味道，而是对尘世的眷恋。

爸爸的体积

　　冬至的那天晚上，我和家人一起在外面吃饭。那天的气温只有六度，爸爸身上穿的外套是十多年前买的。老人家对旧衣服有特殊感情，但我看不过眼，决定要做一次圣诞老人，吃完饭后，带他去买新衣。

　　来到百货公司，我和妹妹为他选了许多外套、毛衣、大衣和棉裤。

　　他看了看售价，说："不买! 不买! 太贵了!"售价哪里是贵?是他不想我花钱罢了。我妹妹不住游说他。

　　"爸爸，你穿起来看看吧，这件外套很有型呀!"妹妹说。

　　"是呀，起年轻了十年!"我说。

　　连售货员小姐也加入游说："现在有七折呀!"

　　最后，爸爸终于肯去试试那些衣服了。我以为他穿中码，怎知他要穿细码。爸爸不是一向很高大魁梧的吗?小时候的我，一直是这样觉得的。那时我最爱拿爸爸的衣服来穿。因为他的衣服很有型，而且都是蓝色和灰色。那些套头衫，穿在我的身上，虽然大了一点，但很像清爽的大男孩。我就是喜欢这种打扮。

　　我心中的爸爸，是很高很大很横。今天晚上，当他拿着衣服满心欢喜地走进试身室的那一刻，我静静地望着他的背影，怎么他的"体积"忽然变小了?是他老了，人也缩小了;还是因为我从前太小?

爸爸的味道？

每个人身上都有一种独特的气味，日子久了，那种气味就代表他。

F说，他爸爸是一家海鲜酒家的厨师。小时候，每晚爸爸下班回来，他都嗅到他身上有一股浓烈的腥味。他们住在一个狭小的房间里，爸爸身上的腥味令他很难爱。他和爸爸的关系很差，考上大学之后，他立刻搬出去跟朋友住。两你子每年只见几次面。

后来，他爸爸病危，躺在医院里。临终的时候，他站在爸爸的病榻旁边，老人家身上挂满各种点滴，加上医院里浓烈的消毒药水味道，他再嗅不到小时候他常常嗅到的爸爸身上的那股腥味——那股为了养活一家人而换来的腥味。他把爸爸的手指放到自己鼻子前面，可是，那记忆里的腥味已经永远消失。那一刻，他才知道，那股他曾经十分讨厌的腥味原来是那么芳香的。

爸爸走了，他身上的腥味却永存在儿子的脑海中，变成了悔疚。F说，他不能原谅自己小时候曾经跟同学说："我讨厌爸爸的味道。"

他记得他有一位同学的爸爸是修理汽车的，每次他来接儿子放学，身上都有一股修车房的味道。另一个同学的爸爸在医院工作，身上常常散发着医院的味道。

爸爸的味道，总是离不开他的谋生伎俩。爸爸老了，那种味道会随风逝去。我们曾否尊重和珍惜他的身上的味道？

你爸爸是什么味道的？

回家团聚的狗

有些走失了的，或者被遗弃的狗，是会长途跋涉回到主人身边的。它们是怎样走过千山万水回家，也许是一个永远不解的谜。

小时候，家里有一头母狗。后来，我们没时间照料它，妈妈惟有把它送给一位阿姨。过了几天，那头母狗竟然自己跑回来。

我们感动得不得了，但是没人知道它是怎样回来的。那位阿姨住得很远，乘车也要四十分钟。我们把母狗送去的时候，是坐计程车去的。那就是说，它根本没机会在沿途留下自己的气味来作为回家的线索。

它是怎样回家的?难道凭第六灵感? 说起狗自己走回家的故事，一位朋友很惭愧。他没有把狗送给别人，而是故意把它带到一个很远的、它从来没有去过的地方，然后悄悄的把它留在街上。

过了一星期，当他推开门准备上班的时候，他看到他的狗，气喘咻咻，失魂落魄的坐在门外，眼里好像还有泪光。狗看到他，兴奋地摇着尾巴，不停用舌头舔他的脚，似乎是在跟他说：

"爸爸，我回来了!"

那一刻，他很内疚。

狗也许不知道它是被主人遗弃的。它以为，它只是和主人失散。它千辛万苦回家与主人团聚，而它的主人，正盘算着下一次要把它送去一个更远的地方。

楼梯是长还是短？

我小时念的那所幼稚园在一道很长很长的楼梯尽头。记忆中，那道楼梯好像永远也走不完。那时跟同学赛跑。斗快跑上楼梯，跑到上去，脸也涨红了，好像一下子跑了几百级楼梯。

很多年轻，旧地重游，我记忆中的那道楼梯原来是很短很短的。为什么从前会觉得它是很长的?也许当时年纪小，觉得每个大人都是很高的，每条斜路都是很长的，楼梯也是永远走不完的。

人大了，楼梯也变短了，只消走几步便可以走到尽头。

从前觉得一望无尽的世界，原来很渺小。小时候，祖母常常送我上学，她总是走在前面。当她走到楼梯顶，我还背着书包慢慢走，她站在上面催促我：

"快点!快点!"

我念小学六年级的时候，我们又再踏在那道楼梯上。这一次，我走在前面，祖母走在后面。她每走几级，便要停下来休息一下。她一边喘气一边埋怨：

"这道楼梯为什么变长了?以前没有这么长的。"

楼梯没有变长，是她变老了。

同一道楼梯，到底是长还是短?楼梯没变，变的是岁月。

在家里和在外面

有些人在家里和在外面是两个完全不同的人。

有个朋友很看不过眼自己的弟弟，她弟弟很自私，家里没有一个人跟他合得来，他也从来不会关心家人，只会整天往外跑，家是他的酒店。然而，有一天，她却从他的朋友口中知道，她弟弟在外面是个很受欢迎的人物。他有义气，又肯帮助别人。她几乎不敢相信，这个是她弟弟。

有些男人在家里沉默寡言，在外面却有可能是个人见人爱的开心果。

有些女孩子在外面乖得不得了，脾气好、人品好。然而，回到家里，她却是刁蛮任性的大小姐，一家人都要迁就她。有些女孩子在家里什么家务也不会做，在外面却是个非常能干的秘书，侍候老板十分周到，冲的咖啡也是一流的。

我们许多的心理问题都是来自家庭。那是我们成长的地方，也同时是快乐和痛苦的源头。无论你年纪多么大了，也无法摆脱你的家庭。人的两面，也许是某种解脱吧？

衣柜后面的心愿泉

小时候，爸妈的衣柜和墙壁之间有一道缝隙，大概有一尺宽，爸爸总喜欢把身上的硬币扔进那道缝隙里，那道缝隙虽然很窄，但是身躯瘦小的我却刚好可以爬进去。我小时候很有孟尝君的风范，最喜欢请同学吃东西，每次零用钱用光了，我就悄悄爬进那道缝隙里拾起一些硬币，拿去大快朵颐。

缝隙里的硬币，好像永远也拾不完，每当看见爸爸把一枚一枚硬币投进去，我就知道，我的下午茶又有着落了。后来，我的胃口愈来愈大，爬进缝隙里拾钱的次数，远比爸爸投钱进去的次数要多，缝隙里的钱，愈来愈少，有时候，我千辛万苦才找到一枚五角硬币。

一天，我们买了一个新的衣柜，爸爸满怀希望把旧的衣柜移开，一心看看自己多年来投进了多少硬币在衣柜后面，结果，他只能在地上找到几毛钱，但他没有骂我。

我曾经以为，他是故意把钱投到那里，待我有需要时可以拿来用，现在回想起来，那道衣柜后面的缝隙，也许是爸爸的心愿喷泉，每次，当他把一枚一枚硬币投进去，听到叮叮咚咚的声音，是他无数的盼望。

他在狭隘的房子里为自己建造了一座心愿喷泉。

骗人的魔法

每个小孩子都相信世上有魔法和神奇力量。我们小时候看的故事书不都是这样说的吗?

看到门关上了，只要高喊:"芝麻开门!"那扇门便会找开。

当我们过着困苦的日子，我们以为，有一天，神仙会来奖赏我们。

叮 会在他的八宝袋里掏出一件法宝，帮我们达成愿望。

我也许会拾到一根神仙棒，只要挥一挥神仙棒，功课便自动做完，考试也难不倒我，爸爸妈妈也不会再吵架。

当我长大了，我会找到一位王子。

不相信世上有魔法的孩子，是没有童年的孩子。

然而，当我们长大了，我们才惊讶地发现，这个世界并没有神仙，也没有神仙棒和一只会法术的猫。打不开门的时候，只能去找锁匠，而不是大叫"芝麻开门"。工作做不完，也不会有神仙代劳。

小时候，大人为什么要让我们相信世上有魔法呢?你知道吗?后来当我们发现这一切都不是真的，我们多么的失望!

这些谎言影响了我们一辈子。终其一生，当我遭遇不如意的时，我们仍然期待神仙带着奇迹降临，虽然我们明知道不可能。

坐着浴盆去旅行

小时候看的童话书里，常常有不会游泳的小动物坐在一个色彩鲜艳的塑料浴盆里，在海上快乐地漂浮。那双动物也许是猪，也许是羊，也许是小狗。不知天高地厚的小动物幸福地坐在自己的浴盆里，随水漂流。

那个时候，老是向往这种旅行。人家坐船和小艇，我坐在浴盆上，随着风和水流，看日出日落，看诲上的风景。

那个浴盆应该是红 A 牌的吧？

浴盆太小的话，手和脚可以放到水里。后来，我从书上知道有些鱼特别爱吃人的手指，那么，还是用一支船桨比较好。在玩具店里，人塑料做的船桨，颜色鲜艳，用来配红 A 浴盆，是天造地设。

再大一点，没法挤到浴盆里，那便用一个有脚的浴缸代替。法国电影里，不是常常看到这种古典浴缸的吗？

用浴缸旅行，比坐在"铁达尼号"上面自由多了。阳光太厉害的时候，可以撑一把太阳伞。下雨的话，便马上换过一把鲜艳的雨伞。在浴缸里，可以高声的唱歌。海不凶险，浪也温柔，浴缸或盆子，永远不会覆没。越过大西洋，游过太平洋，累了便回家。这是永远不会实现的梦想吧？

几许年少的梦

年少时，我们都有过许多愿望。在作文课上写的那篇（我的志愿）却都不是真的，那是用来敷衍老师的，否则，才不会有那么多人愿望当老师、护士和社会工作者。

有朋友刚刚当上老师，教授中学二年级的中文课。她给学生的作文题目正是（我的志愿）。一位男生在作文簿上说他的志愿是做一条狗。她气得几乎昏了过去，大叹这一代的孩子太不长进。

假如她有读过彼得·梅尔的大作《一只狗的生活意见），她也许不会小觑做一条狗这个愿望。作者以自己爱犬"仔仔"的角度去看人类的世界，写出许多隽永的哲理。

我已不记得自己许过哪些愿望了。有一年，跟旧同学们相聚，嫁人的嫁人，读书的还是继续读书，有几个同学的工作更要四处奔波。她们年少的愿望，好像都不是这些。

有人很喜欢跳舞，说过要成为舞蹈家。也有人渴望成为运动员。

几许年少的梦，都变成平淡的生活。

我们曾经骄傲地以为自己出类拔萃，长大之后，才发现自己比不上别人，于是茫然不知去向。然后有一天，我们才终于明白，人要跟昨天的自己比较，而不是跟任何人比较。所有的梦想，都是用来回味的，不一定要实现。

小小的教堂

小时候念的那所天主教小学里面，有一间小小的教堂，教堂的面积大概只有三、四百尺，规模很小，小息的时候，我喜欢坐在教学里。

那时候，我只有很小很小的愿望，祈求天主让我这次考试及格，下一次，我一定会乖乖的读书。祈求圣母让我能够升级，那么，我以后会很乖。恐怕坐着祷告不够虔诚，我还会跪在地上，恳请天主垂听。

当然，考试及格，顺利升级之后，我就会忘记天主。

我这辈子我第一次投稿是投到《公教报》，文章刊登出来之后，修女特别送我一份礼物，自此之后，她每次上课都喜欢叫我起立念书。那时候，我决定长大之后要做修女，不做尼姑，因为修女的服饰比较漂亮，而且不用刮光头。

除了参加朋友的婚礼之外，我已经很久没有到教堂了。报章上说，每年除夕，很多本身不是教友，平常不去教堂的人，也四处打听，看看哪间教堂有空位，他们很想去参加子夜弥撒，在一年终结的时候，祈求心里的平安。那天经过教堂外面，听到悠扬的圣诗，我已经不敢进教堂了，今天的愿望、心事和悔疚，远比我小时候多，只怕天主听到也会皱眉头。

一条幸运的毛

我们身体上某些地方偶然会长出一条长长的白毛，有时长在脸上，有时长在胸前，有时长在手臂上。它是一条很奇怪的毛，愈长愈长，跟其他黑色的毛不一样，你不知道它是什么时候长出来的，偶然发现了它，它已经长得很长了，即使拔走了，它又会再长出来。

有人会把这条怪毛拔掉，但是更多的人舍不得把它拔掉，还珍而重之，称它为"幸运毛"。

看到朋友脸上有一条长长的白毛，伸手想替他拔走，他立刻捍卫他那条毛，很认真的说：

"别碰我的幸运毛。"

那天去吃饭，平日笑口常开的部长没精打采，问他有什么事，他说：

"昨天跟两个姨甥玩耍，他们竟拔走我下巴那条幸运毛。唉！这条毛跟了我很久，我中过几十次六合彩安慰奖，现在给他们拔走了，不知道还会不会长出来。"

身上多了一个乳房，多了一只脚趾，我们不会说这是幸运乳和运动趾，但是多了一条毛，我们却兴奋地说那是一条幸运的毛。也许，我们都是胆小而又容易满足的。一条小小的白毛，说不定是从神仙的尘拂上掉下来的，世间有太多的不如意，惟愿这条轻轻的毛，能为我们带来一些甜头，只要一些就好。

我家的蝌蚪

现在流行养水母，你有养过蝌蚪吗？

蝌蚪不需要用钱去买，哪里有一摊泥和污水，哪里便可以捉到几条蝌蚪。

小时候，我常常在下雨天捉蝌蚪，蝌蚪很容易捉，用手就可以捉到。蝌蚪拿回家之后，可以用水养在一个塑胶的漱口盅里。

隔壁的淑仪把蝌蚪养在一个喝水用的鞑胶杯子里。那天，她爸爸下班回来，口渴极了，看到那个杯子，便骨碌骨碌的把水和蝌蚪一起喝进肚子里，所以，我不敢把蝌蚪养在杯子里。

记忆之中，蝌蚪好像不需要吃什么东西的，也很容易照顾。它们会慢慢长出四条腿，最后，尾巴不见了，就变成一只青蛙。

每天做功课的时候，我会把漱口盅放在身边，看看里面的蝌蚪哪一天会变成青蛙。万一蝌蚪死了，那也很容易办，只需要把它们倒进马桶里，冲到大海就行了。

我是养什么都会养死和养坏的。淑仪的蝌蚪已经不见了尾巴，快要成为青蛙了。我的蝌蚪，好像永远也不会变成青蛙。蝌蚪长大成为青蛙之后，不是要回到自然界吗？我的蝌蚪不肯长大，也许是舍不得我家的漱口盅吧？那是一个红色的、阔口的漱口盅。当我不养蝌蚪之后，它又成为漱口用的漱口盅了。

养虫虫的日子

不知道现在的小学生还会不会养蚕虫呢?我那时候养过蚕虫。养蚕，是自然科的家课。小孩子总是希望自己能够保护和养育另一条生命。蚕虫，便是我饲养的第一条生命，然后才是小狗。

我们在小摊子上买了几条蚕虫和一些桑叶回来之后，便要着手造一所蚕屋。所谓蚕屋，不过是用一张白纸折成的，只比手掌大一点，但对小小的蚕虫来说，已经是一片辽阔的天地了。

那时为什么不害怕蚕虫呢?现在想起来，它的样子是挺可怕的，没有毛，只会用身体蠕动。老师说它是益虫，会吐丝，这也许就是我们不怕它的原因呢。

养蚕虫的日子，生活也好像充实了很多。每天上学的时候，我们背着沉甸甸的书包，身上挂着七彩的水壶，手里还小心翼翼的捧着那个小小的蚕屋。在保母车上，我们会找开蚕屋，交换大家的蚕虫来看。我的那一条，什么时候才会变成蚕蛹，然后破茧而出，化成一只飞蛾呢?

日复一日，听说某班某个同学的蚕虫已经化成飞蛾，我的那几条，仍然是老样子，老实不客气的吃光了我用零用钱买回来的桑叶。一天，更不知怎地蒙主宠召了。我只好伤心地把它们埋葬掉。我养的蚕虫，从来没变成飞蛾，这是我一个永远的、小小的遗憾。

跳绳的岁月

知道跳绳对身体好，但我就是不行，我跳绳的技术太差劲了。

在香港，找地方跳绳好像也不容易。还是小女孩的时候，可以在公园和学校的运动场跳绳，现在这么大个人了，怎能去公园跳绳？家里也没有足够地方让我跳绳。跳绳，只是童年的回忆。

小时候，很佩服那些跳绳很出色的同学。她们可以跳双人绳、交叉绳，出神入化。我最喜欢的是跳橡筋绳。橡筋绳的变化比较多。

"小皮球，香蕉油，过年开花一十一……"下面那几句，我已经忘记了。跳橡筋绳的时候，为什么要唱这支童谣呢？有谁可以告诉我？

那时候，我认识两姊妹。她们跳橡筋绳很厉害，我永远不是她们的对手。姊姊能够用前空翻来跳，妹妹更本事，她用后空翻。她一个后空翻，便能够跨过我们的头顶。每一次，当她们赤着脚，站得老远，然后发力冲过来，凌空翻一个筋斗跳绳时，我都会吓得眯起眼睛不敢看。不认识她们的话，真的会以为她们家里是开杂技团的。

听说这两姊妹都嫁人了，也有了小孩子。她们的孩子不知道会不会也是天天在家里翻筋斗？这些孩子的妈妈，还会用前后空翻来跳橡筋绳吗？很想再见识一下。

辫子的情意结

小时候，一直渴望有两条辫子。

爸爸妈妈把我的头发剪短，说这样比较方便打理，却不知道我多么渴望长发。有一把长发，便可以编辫子。那时候，班长和学校的小美人都是有两条辫子的。

短发的我，为了填补没有辫子的遗憾，于是常常把玩自己的头发，看看能够搞些什么新意思，一天晚上，我对着镜子，用了几十个发夹夹着自己的头发。爸爸看见了，跟我说：

"带你去看电影好吗？"

"好的！"我欢天喜地的说。

"但……但……但你可不可以先把头上的发夹拿下来？"他说。

如果有辫子，我便不会把自己弄成那个样子了。

小学四年级的时候，班上有一个扎辫子。她的头发是咖啡色，很漂亮，她的辫子也梳得特别贴服美丽。她是纠察，有一本簿，记下我们班上哪一个犯规，然后交给老师。我们都不喜欢她，有人就说：

"只要把她的辫子剪下来，她就完了。她现在看来这么漂亮，就是因为她的辫子呀！"

我们那时为什么会说这么蠢的话呢？竟然妒忌同学的两条辫子。

真想知道，小男生是不是都暗恋扎辫子的？

我想去野餐

不知道现在还有没有人去郊外野餐呢?

读书的时候，旅行的重点就是野餐。老师公布了旅行的地点和日期之后，大家最关心的，不是目的地的风景和地理资料，而是那天的野餐吃些什么，谁负责带些什么食物。

野餐的时候，大家把一张胶桌布铺在草地上，然后把一盘一盘美味的食物拿出来。有鸡翼、香肠、三明治、水果、薯片、沙拉，永远都会剩下很多，成为流浪狗的晚餐。

后来，烧烤代替了野餐。大家忙着留意自己的食物会不会烤焦，什么时候该涂蜜糖了，什么时候应该要再烤一会儿，怎样把一只鸡翼漂亮地穿在烧烤叉上……太忙碌了，没有野餐那份悠闲。

在外国生活，可以一家大小开一部野餐车去野餐或露营。在欧洲更好了，随时可以在自己家里的花园邀请朋友来野餐。在苹果树下，我们吃风干火腿，还有各种猎肠、芝士、薄饼、新鲜蔬菜、水果和喝不完的酒。

在树下，我们唱歌、跳舞、聊天。直到日落西山，大家才捧着那个吃得胀鼓鼓的大肚子，依依不舍的道别。

"下一次，来我家的花园野餐!"

这一次分手，是下一次的重聚。没有野餐的生活，毕竟太乏味了。

毛衣窃贼

收到一位男士的来信，他的故事给我很深刻的印象。

他说，中三那一年，他曾经偷了同学的毛衣。他的冬季校服是白衬衫、灰色西裤和灰色V领套头毛衣。当年一件毛衣的售价要三十块钱。他家里很穷。他中一时穿的那件毛衣，到了中三，已经不合穿了，但他不敢叫家里的人买一件新的给他。

他有一个很要好的同学，那个同学家境富裕。那个秋天，这个同学穿着一件很漂亮、看起来很温暖的灰色毛衣上学。他一直想拥有这种毛衣。一天，他发现这个同学把毛衣遗留在运动场上。他把毛衣穿在身上，发觉很合身。那一刻，他决定把毛衣据为己有，反正他的同学这么富有，一定可以买一件新的。学校里每个学生都穿着类似的灰色毛衣，他猜他的同学是不会发现的。

从那天开始，他穿着偷来的毛衣，而他的同学也买过了一件新的。他的同学觉得他身上的毛衣很像自己失去的那一件，曾经三次问他："这件毛衣是我的吗?"他每一次都否认了。

事隔多年，他现在买得起很多昂贵的毛衣，但他一直觉得对不起这位同学。几天前，这位同学从英国回来了。一群旧同学聚会，他始终没有勇气告诉这个同学，他的确偷了他的毛衣。在他面前，他有点抬不起头。

朋友的距离

最好的朋友，也许不在身边，而在远方。

他跟你，相隔十万八千里，身处不同的国家，各有各的生活，然而，你却会把私密的事告诉他。

把心事告诉他，那是最安全的。因为，他也许从未见过你在信上所说的那些人，他绝对不会有一天闯进你的圈子。最重要的，是他远在他方，即使知道得最多，仍然是最安全的。

许多年前，一个比我高一班的女孩子到美国求学，我们本来只是很普通的朋友，她到了美国之后，也许太寂寞吧，常给我写信，向来懒得写信的我，因为感动，也常写信给她。

在信中，我们可以坦荡荡地把最秘密的事告诉对方，寻求对方的意见，我们甚至毋须在信上叮嘱对方，不要把这些事告诉任何人，她深深知道，我不会把她的事告诉我身边的人，她也不会。那些信件，是我们共享的秘密，我成为她最好的朋友。

在她留学的那三年里，我们只是通信而没有见面。然而，当她从美国回来，我们的友情却是三年前无法比拟的，仿佛是最好的故人重逢。

原来，最好的朋友，还是应该有距离。那段在地球上的遥远距离，正好把你们的距离拉近。

绝不向你低头

那天偶然翻开中学时代的纪念册，仔细重温一次，同学间离别依依的叮咛，竟然恍如昨天。其中一页，一个女同学写着：

"我承认我的中文稍逊于你，但是其他方面我是绝不向你低头的。"

奇怪，当时她为什么这么写呢?在日期后面，她还写着"晚上十一点到凌晨十二点十五"，她花了一小时十五分来说绝不向我低头。也许，我们本来就是南辕北辙的两个人，本来就合不来，因为一起参加球队，被迫经常走在一起。

中五之后，她离开了学校，这么多年来，我们从没聚首，偶然会有人告诉我她的近况，大概也有人告诉她我的近况。曾经很想跟她见面，她也曾经托人把电话号码告诉我，也许是当时年少气盛吧，我们始终没有重聚。最近听人说她已经移民，还结了婚生了孩子。

那段青葱岁月里，总是有她，但是两个合不来的人，还是不要见面，这样才会永远怀念对方。我从来没想过要跟她比较，她长得很漂亮，但是今天让我感动的却是她在纪念册上这一句"我是绝不向你低头的"。年少时候，我们原来可以那样率真和自信。我忽然很怀念她，很想和她一起走到球场上打一场排球，我会对她说："我也是绝不向你低头的!"

我的小男友

第一个闯进我生命的男孩子，是我小学二年级 的同学，他姓关。我们住得很近，上同一班，光顾 同一个保母车司机，所以，我们每天都一起上课 和下课。那时我还有一位很要好的女同学，她姓 林。我们三个家庭都认识，三个好得不得了。开 保母车的叔叔常常说：

"刘、关、张桃园结义，你们三个这么要好，就叫林、关、张吧。"

这位小男生长得非常俊俏，皮肤粉白。他是 保母车上唯一的男生，所以很受欢迎。虽然是小 学生，但我们看电视剧看得太多了，人人都春心 荡漾。一次，我和这位小男生在保母车上跌在一 块，自此之后，其他人便说我们是一对的。

我有喜欢他吗？我自己不觉得，但是其他人都是这样说，我便开始怀疑他喜欢我。后来，他不知怎样激怒了我，我们从此不再和对方一起玩了。我很痛恨他。于是，我把他的名字写在一张白纸上，然后埋在一个树洞里，向着那个树洞大叫："我恨你！"几年之后，我再去挖开那个树洞，那张字条已经不见了。也许，它已经化成泥土。

那时我为什么会做出这种肉麻的事呢？现在想起来，也会全身起鸡皮疙瘩。本来不好意思说出来，但是我想，一些现在让我们起鸡皮疙瘩的事，也同时会是甜美的回忆。

童年的友谊

当你找不到新朋友时，有没有想过回去找你的旧朋友

你可以去找你失散多年的中学同学，甚至是小学同学，如果你有办法找到幼稚园同学，那也不错。

有人不喜欢找大学时的同学，因为害怕比较。大学毕业后的际遇不一样，走在一起，反而不知道说些什么好。

有人说，他最好的朋友是中学时的同学。也有人说，他已经很久没参加中学同学的聚会了，因为其中一个跟他很要好的旧同学每次见面总是问他："你现在赚多少钱?"

大学同学不能找，中学同学也不能找，一天，你偶遇小学同学，大家兴高采烈的谈了许多许多，然后才依依惜别。你终于发现，小学时的情谊，是最纯真的。

小学时，大家都天真未凿，不会比较，也不会竞争。那段日子，也是人生一段很甜美的时光。小学毕业后，各散东西，大家过着不一样的人生，根本也没得比较。某天，有缘重聚，即使际遇相差很远，了不会有什么不舒服的感觉。两个人走在一起，还可以回味童年往事。世上有多少人可以和你一起回想童年?兜兜转转，你得到一些朋友，又失去一些朋友，惟独你的小学同学，你像当天。

我们看地不看天

小时很喜欢上体育课。一星期两课体育，是我最开心的时候。所以，那时很害怕上体育课的那天下雨。下雨了，体育课便要取消。有时候，早上下过大雨，或天上乌云密布，好像大雷雨快要来临，我们也抱最后一线希望。穿运动鞋上学，期待可以如常上体育课。

假如天空下着微雨，到底上不上课呢？那位体育老师说：

"我们看地不看天。"

她的意思是：只要地面是干的，就可以上体育课。多少年来，我已经记不起她长得什么样子，也记不起她叫什么名字，但她的说话很有智慧。

我们看地不看天。

不要望天打卦，也不要怨天。天上的事情，我们无法控制。上天若有旨意，我们也不会预先知道。人在地上生活，就该脚踏实地。比起天上，地上的一切是我们稍微可以控制的。

遇上不如意的事，沮丧之后便要重新振作。天知道以后会怎样？但是你自己不振作，便永远没有机会。

上天一直眷顾你，也不要太得意，天知道上天什么时候不再眷顾你？机遇来了，你要加倍的努力。看地不看天。

你还记得那支歌吗？

你还记得中学时的校歌怎样唱吗？

离开学校许多年了，那天跟旧同学见面，忽然有人提出：

"记不记得我们的校歌怎么唱？"

很惭愧，我只记得其中一部分。大家哼着哼着，终于能够哼出整首校歌。

每个人一定都唱过几支校歌：幼稚园的、小学的、中学的、大学的。每逢学校庆典，大家高唱校歌，那时并没有人会去研究校歌的意思，也没有努力去记着歌词，我们早就已经熟得不能再熟了。

许多年后的一天，我们静下来的时候，忽然想起在青涩岁月里唱过的校歌，很想再唱一遍，可是已经忘记了歌词，只依稀记得旋律。

离开学校，长大成人之后，失意的时候，我们心中忽然响起熟悉的老调，和平的诗意，那不是校歌吗？在年少无忧的岁月里，我们曾经天天唱咏。独个儿把校歌再唱一遍，心里竟然平静多了。

我们一生唱过无数和的歌，也喜欢过不同的歌，有些牢牢记住了，有些忘记了，也有一些歌，经不起时间的考验。然而，校歌却是永恒的。一支校歌能够永恒，因为它治疗了成长的创伤。

不包尾就好了

从小到大都很喜欢运动。打球、游泳、田径，我每样都会，但是每样运动都不是很出色。运动当然需要天份。小时看到有些同学跑得很快，这是天份。我没有这个天份，我只能和别人比气力。人家跑一百米，我便参加八百米，我比较长气。

出来社会工作之后，运动的时间大大减少了，根本没有什么人可以陪你一起做运动。然而，运动员的训练，是一生受用的。喜欢运动的人，都有比较强的奋斗心，不肯轻易放弃，也不肯轻易认输。

当你站在跑道上，你会告诉自己，最好能跑第一。跑不到第一不要紧，千万不要包尾。为了不包尾，我们只好拼尽全力。念中二的时候，老师选了我去参加二百米短跑。二百米短跑根本不是我的专长。比赛之前，我毫无信心。比赛开始了，不出我所料，对手们都比我跑得快。我很怕包尾，只好尽力的跑。结果，六个人的比赛，我跑第五。不是第六，我已经很开心。为了不包尾，我也是拼尽了全力的。

参加长跑是最辛苦的。跑到最后的几个圈，你会不停想放弃。你的四肢好像已经离开你了，你的脑海一片空白。然而，除了坚持下去，还有更好的方法吗？只要不包尾，就已经可以向自己交找了。我的愿望非常卑微。

几时的功课

对中秋节，我的感情比对其他中国节日深一点。因为，生平惟一一次参加文学比赛，又竟然得了奖的一篇文章，写的是正是中秋节。那是我中文科的作业，并不是为比赛而写的。当时，我的好朋友鼓励我把作品寄去参加比赛，我懒得写一篇新的，就把老师刚刚派回来的那篇文章抄一遍，然后寄出。

当我几乎已经把事情忘记的时候，我收到一封通知我得奖的信，还有评判的评语。

那篇文章，并不是写得特别好。跟所有年轻人的毛病一样，我都是"为赋新词强说愁"。现在再读一遍，自己一定忍不住起鸡皮疙瘩。

你有收藏自己的作文功课的习惯吗?我的抽屉里还放着几篇我中学时的作文。本来，写中秋节的那一篇也在其中，许多年前，我跟一个朋友提起，他硬是要借去看。借给他的时候，我千叮万嘱他要还给我，他偏偏就是没还给我。后来，我们没有再来往，要把那几篇作文追回来，当然更加不可能。我以后也不会再肯借出去了。我很心痛。

儿时的作文功课，并不是有什么价值，只是，这几篇泛黄的文章，勾起了我许多甜美的回忆。那个时候，我总是很焦急地等待老师把作文发还给我，看看他给我多少分。

去不到终站的列车

一对男女一起三年，除了头一年过得开心之外，此后的两年都在吵吵闹闹和重复分手之中度过。三年了，两个人始终还是分不开。这就证明了一个事实：

这两个人都深爱着对方。

可是，爱情也有很多种。这一种爱情，是大家都沉溺在自虐和被虐的痛苦之中。他们已经上瘾了。他们互相需要，也互相折磨。

我不但可以为你浪费青春，我更可以为你堕落。

每一次想了断的时候，我又记起了你的脸。你的折磨，都变成是凄美的。每一次想恨你，却又更恨我自己，谁叫我离不开你呢？

如果没法让对方快乐，爱得多么深也是没有用的。你很想坐这班车，但这班车是不能载你去目的地的。你可以勉强挤上车，但也只能在中途下车。这不是你要的人生，你只好望着这班车离开，而车上有一个你曾经爱过的人。

两个相爱的人，也许永远不相容，那么，也只好在车站分手了。有时候，我们不肯放手，只是找不到更好的。但你不放手，又怎可以找到更好的？

有一些爱情，是注定没法去到终站的。一段爱情，如果只有过去的回忆，而没有现在的温暖和将来的快乐，那么，我们为甚么还要互相折磨呢？

我不介意痛苦，但我起码应该得到与痛苦一样多的快乐。

爱里有许多伤痕

去年中已经买了野岛伸司的《世纪末之诗》回家，一直等到现在才有时间看。今天刚刚看到第六回。两个男主角有一段对话。老的跟年轻的那个说：

"爱里有许多悲哀。爱里有许多饬痕。"这些都叫恨吧？

当你喜欢一个人，其实你包容了许多事情。当你爱一个人，你也怀抱着许多原谅。没有单纯的爱。

你爱着的那个人，曾经做过对不起你的事，伤了你的心。你原谅了他，因为你知道他是爱你的。可是，每一次吵架的时候，你又想起了他曾经怎样对你。你也许一辈子也没法忘记。

既然这样，为甚么不分开呢？

然后，你发现，每一段爱情都无可避免会有伤痕。展示伤痕，是痛苦的。忘记伤痕，才可以重生。如果你以为爱情容不下一点瑕疵，那么，你大概一辈子也找不到爱情。

爱里面不但包含了许多悲哀和伤痕，还包括了埋怨、妒忌和轻视。我们每天都去学习怎样忘记这一切。

为甚么要忘记？生命短暂，我们既然选择了对方，那么，我们就是要一起去追寻快乐。那些伤痕只是让我们更珍惜欢笑的时光。

故事完了

有些女人，虽然已找到了幸福，却仍然会想念旧情人。

她甚至考虑过放弃现在的丈夫，回到旧情人身边。

由于已经和旧情人失去了联络，这个想法只好一直藏在心里。

然而，当她重遇旧情人，她又会萌生离开丈夫的想法。

她知道对不起丈夫，可是，她又忘不了青葱岁月里的一段旧情。

那时候，她和他因为一些原因而分开了。多少年来，她总觉得她和他的故事还没有完。

故事一定要有结局的吗？

假如要有结局，甚么才是结局？

爱情不是小说或电影，必须有个结局。

那个结局，好像故事未完，也不过是文学和电影的表达手法。

然而，现实生活里，所有感情，不一定要有一个清清楚楚的结局。

两个人分开了，故事也就完了。

若有机会再爱一次，故事又重新开始。若没有机会重遇，上次的结局就是结局。

我们都希望自己的爱情有一个像电影或小说那样美丽的结局。这个想法太天真了。

故事要完，结局并不可以修补。我也想和你有一个荡气回肠的结局，可惜，并不是我想就可以的。

清醒一点吧，世上并没有未完的故事，只有未死的心。

在苍茫人世上寻找那一半

柏拉图《对话录》中有一段著名的假设：原来的人都是两性人，自从上帝把人一劈为二，所有的这一半都在苍茫人世上寻找那一半。爱情，就是我们渴求失去了的哪一半自己。

假使我们不是从太初就被分隔开，我们怎能重新经历邂逅的欢愉？我们穷一生的时光去寻觅自己所爱的那个人，本来就是上帝赐予我们的天职。

在寻找的过程中，纵使有多少的失望和伤痛，也同样有恩爱深情。两个孤单的灵魂重聚，合而为一。

爱情，就是自我复原的过程。

在还没有重遇那一半之前，我们心里的缺口在等待着，当我们终于遇上自己期盼的那个人了，心里的缺口也得以修补。

从今以后，欢笑的时候，有人分享。流泪的瞬间，有人慰藉。

寻常生活里，也有一个随时可以让我们歇息的怀抱。我们本来是雌雄同体的，所以心意相通。

我们本来就是一个人，人是多么复杂的动物？我们有矛盾的时刻，也不要惊讶。

分隔了的灵魂，重新组合，当然难免要重新适应、怀疑，然后肯定。

我们有时候会找错了那一半。然而，我知道，我的那一半早晚会出现。到时候，爱情会召唤我们。

我要一个甚么样的男人？

我就是要我那一半。他修补了我身上和心上所有的缺口，我也修补了他的。流离失所的灵魂，终于回家了。

爱情，是自身的圆满。我不再缺少一些甚么了。

不想分手的理由

当大家的生活愈来愈不一样,大家所追求的东西也愈来愈不一样, 你还会不会勉强去维系一段感情?

假如我们是旁观者, 我们可以非常洒脱的说:

"当然没有必要再走在一起!"

然而, 当你是局内人, 你能够这样洒脱吗?

人总是自欺的时候多于欺人的时候。

明明大家的想法已经愈走愈远,念及多年的感情,我们还是会一拖再拖。

我们会把所有的争执视为小争执。

我们一向都是这样吵架的, 过几天便会和好如初。

我们不肯承认, 现在吵架的理由已经跟从前不一样。

从前的确是为了一些小事吵架,今天却是因为大家的心态已经有距离。

每一次, 当我们对这段关系心灰意冷的时候, 我们总是找理由去安慰自己:

可能近来工作太忙了, 大家的心情都不好。

可能近来关系太平淡了, 感情总会有高潮和低潮。

找那么多的藉口, 只是因为我们害怕分手, 我们害怕要重新适应另一个人, 我们更怕寂寞。

和他一起虽然闷, 没有他的日子怎么办?

这就是人生

一个女孩爱上了比自己大一年的同学。

可惜，他爱的是另一个人。

她说，她有很多朋友，有一个温馨的家庭，有学识、有运气、有健康，还拥有一头很可爱的小狗。

她为这一切感谢上帝。

可是，她仍然固执地朝思暮想着那个男孩。

她不明白自己为甚么不珍惜现在拥有的一切，却渴望得到自己不可能得到的东西。

这就是人生啊!

我们已经拥有的东西，我们不会再去追求，并且认为是理所当然的。

我们还没拥有的东西，我们才会拼尽全力去追逐。

我们拥有的衣服，永远比实际需要的多，但我们仍然想买新衣。

我们已经有好多双鞋子了，还是想买一双新的。

有追求和渴望，才有快乐，也有沮丧和失望。经过了沮丧和失望，我们才学会珍惜。

没有人是一生下来就懂得珍惜身边一切的。

珍惜是要学习的。曾经失去、曾经伤心、曾经得不到，你才会发现，你拥有的原来也不错。你的幸福要比你的遗憾多一点。

你曾经不被人所爱，你才会珍惜将来那个爱你的人。

学习珍惜的过程，当然难免会有一点痛苦。

假如可以重头来过

你曾经有过这种遗憾吗?

事情发生了一段日子以后,你想,如果让你重新处理,你会处理得比当天好一点。

你当时太不成熟了。

也许,你太天真,太年轻,太意气用事了。当时为什么那么固执呢?

今天回首,那件事情并非那么严重。

你没有做错,但是,你可以不用那个方法去做,结果也会不一样。

假如可以重头来过……失去的友情,已经不可以能挽回。

当时失去的东西,已经不可能复得。

后悔,本来就是成长的副产品。

当你一天比一天成熟,你自然会后悔自己昨日所做的事。

啊!原来你可以做得好一点。

直到一天,你不再为昨日后悔,你才是真的成熟了。

我们虽然不再后悔,却仍然会遗憾。

我们一再对自己说,当时是可以有另一个方法去处理的。

遗憾又有甚么意义?

检讨,才有意思。从今以后,相同的事情发生,你会聪明许多。

况且,事情已经过去了,根本没有机会让你用今天的智慧去重新处理昨天的事。

不可能爱你

虽难过的事情，是你很想爱一个人，却不可能爱她。

你知道，代价太大了。

你可以不在乎自己失去一些甚么，却不能不在乎她所失去的。

当她失去了现在拥有的幸福，你能够给她同样的幸福吗？

当她失去将来的生活保障，你能够保障她以后的生活吗？

你自信比她现在的男人好吗？

爱一个人，原来不是盲目的。相反，你会很理智地为她着想，也想想自己能为她做些甚么。

她现在活得很好，一旦你向她示爱，她承受得住吗？

你不怕她不爱你，只怕你自己爱她不够深。假如她投奔了你，而你又让她失望，她会怨恨你。

你本来是个很潇洒的人，碰到了她，却潇洒不起来。

你原本是个不顾一切的人，遇上了她，你却犹豫起来。你竟变得愈来愈婆妈，愈来愈没勇气。

爱情是有所谓不可能的吗？

在你的字典里，本来没有"不可能"这三个字。

认真地爱过之后，你才顿悟，有些爱，的确是不可能的。

总会有终结

从前，我们会问对方：

"你会不会有一天不爱我?"

现在，我们不会再这样问了。

有些问题不必问，你心里有数。

有些答案是你不想听到的，那么也最好不要问。

凡事有开始便有终结。为甚么不会完呢?爱情、友情，任何的关系也都如此，只是终结的方式也许不同。

那个终结，或者愉快，或者伤心，或者有遗憾，或者是不欢而散。我们唯一可以做的，就是在关系终结时，尽量让它终结得漂亮一点。

我们不再相爱了，但依然可以互相关心，不必老死不相往还。

我们的友情不可能像从前一样了，我们不会再谈心事，但是，我们也用不着绝交，我们可以谈谈风月。

我们之间的暧昧要完了，那不代表我们此后形同陌路。

我有我爱的人，不可能要你等我。

你有你的人生，不可能为我舍弃其他机会。

我知道你不会再像以前那样对我了，那会使你太痛苦。但我们之间，并不是就此了断。

暧昧关系的终结，可不可以是友情的开始?

当然，有一天，它又会终结。

开始的时候，我们就知道，总会有终结。

阴晴圆缺的，不止是月色

半夜里醒来，觉得天气很闷热，我想，也许要下雨了。

再睡一觉，清晨的时候，果然下了一场大雷雨。

我没有风湿，不能用自己的风湿去预测天气。

只是，活在世上的日子久了，每个人大概都会预测一点天气。

连续许多个酷热的晴天之后，总会下一场大雨。

连续多天大雨，也应该要放晴了。

小时候，因为活在世上的日子还短，我们从来不会测天气。

我们老是祈祷好天气来临，尤其明天要举行运动会，或者是集体旅行，又或者明天有特别的节目。尽管乌云密布，我们还是期望不要降下一滴雨。

下雨的时候，心情是特别坏的，但是，同样是下雨，如果是有台风的话，我们的心情又会变得愉快。儿时唱的圣诗说，上帝没有应许天色常蓝。

我们当然明白不会永远晴天；阴晴圆缺的，不止是月色，也是爱情。

我以为爱情可以克服一切，谁知道有时它却毫无力量。

我以为爱情可以填满人生的遗憾，然而，制造更多遗憾的，偏偏是爱情。

阴晴圆缺，在一段爱情里不断的重演；也许，这就叫考验。

当我们活在世上的日子久了，你也能预测明天的爱情。换一个人，也不会天色常蓝。

从遗憾中领略圆满

我们常常安慰别人说：

"人生是没有圆满的。"

你不能得到一切。你永远不会是最幸福的人。然而，谁说人生是没有圆满的呢？我们所拥有的，是另一种圆满。我们从遗憾中领略圆满。

没有分离的思念，怎能领略相聚的幸福？

没有经历过被出卖的痛苦，怎会领略忠诚的可贵？

没有尝过苦恋的滋味，又怎会体会长相斯守的深情？

在纷纷扰扰的人世间，能够相聚，彼此忠诚，长相斯守，不正是一种圆满吗？

圆满的人生，不是拥有一切，而是学会了珍惜和付出。

在一个小宇宙里，你是圆满的。当你不再贪婪，你是圆满的。

当你了解爱情，那是自身的圆满。

月圆月缺，但是，你不会说月亮是不圆满的。

你爱着的那个人，也许是不完美的，也许是有很多缺点的。你自己又何尝不是？然而，你们的关系却可以是圆满的。

那个圆满，超脱了现实，是一种领略和追求，也是一种宽容。

哭泣的踏板

女孩子喜欢了一个男孩子，可是，他却喜欢她的好朋友。他常常在电话里谈到她，电话那一头的她，心却在淌血。

她变成了他们两个的中间人。

为了约会那个女孩，他需要约会她，三个人一起见面。女孩子这样形容自己：

"我觉得他只是把我当作一块板，我只能狠狠地被踩。"

这个形容词，多么的精采？

不是切肤之痛，才不会有这种感受。

是的，她不过是一块踏板，迟些他也许还会过桥抽板。

谁喜欢做人家的踏板？那个人用两只脚踩下来的时候，怎知道那块踏板在哭泣？

年少的时候，我们总是不甘心——为甚么我们喜欢的男孩子都在自己的好朋友手上？

我的好朋友不错是好，然而，我不是更适合他吗？

我的好朋友是长得比我漂亮，但是，他难道不懂得欣赏我的内涵吗？

我那样专一，我的好朋友却是个花心的女孩子，他为甚么看不出来？

我只好委屈地扮演一块板的角色，让他踏在上面，去追寻他的爱情。

年深日久，我的胸口已给他踩得结了厚茧，快可以表演心口碎大石了。

爱的周期性

有些情侣说他们是从来不吵架的。这不是太令人难以置信吗？世上竟然会有不吵架的情侣？

也许，他们不把互不瞅睬或一个发脾气一个不说话也算作吵架吧。

不吵架，我怎会知道原来你紧张我？不吵架，我又怎会知道你在我心里有多么的重要？

两个人之间，是不可能不吵架的，除非，我们已经无话可说。

爱是有周期性的。有一阵子，我很爱你。有一阵子，我讨厌你。到底哪一种感觉才是对的呢？讨厌你的时候，我便会跟你吵架。然后，我发觉，我还是喜欢你的。

爱的周期，到底有没有一个定律呢？它不是女人的生理周期，我们从不知道它甚么时候来，甚么时候走。低潮的日子，我们都在彷徨地等待。他爱我吗？他不爱我？暗无天日，完全失去了自信心。不如就这样算了，反正我也可以没有他。

忽然有一天，低潮骤然过去了，旭日初升。我觉得他是爱我的，他不会从我生命中消失，我不能没有他。我们欢天喜地的相拥，我们舍不得跟对方吵架。

我们度过了多少爱的周期，而身伴依然是那个人？然后我们知道，没有一段爱是不曾在心里动荡的。

愿意冒死一试的病毒愿

一名菲律宾学生制造了一种名为"我爱你"的电邮病毒，许多人收到这封电邮时，不知有诈的打开了，结果受到感染，连英国下议院的电脑系统也没法幸免。

专家说，这种病毒正在迅速蔓延。

这种病毒所以成功，是觑准了人们的心理吧？恋爱中的人，收到"我爱你"电邮，会以为是心上人发出的，于是连忙打开。

失恋的人，以为是旧情人重投怀抱，也急不及待打开来看看。

没有恋爱的人，以为有人暗恋自己，所以，满心欢喜的打开看看。结果，他们全都染病了。

看见"我爱你"这三个字，谁能忍受不去理会呢？我们多么渴望被人所爱？

相识的，甚至不相识的。

要传播电脑病毒，除了"我爱你"之外，以下几句，也保证可以骗倒对方：

"我第一眼便爱上你。"

"我知道有人暗恋你。"

"思念你。"

"给美丽的你。"

最后这一句，凡是女人都会打开来看看。

即使知道可能是骗局，我们也愿意冒死一试。

但能给我片刻欢娱，一死又何妨？最厉害的病毒，是爱和谎言。

试用失败的爱情

跟一个人开始了，才发觉自己不是太喜欢他。这个时候怎么办？
那还不简单吗？就是赶快跟他拜拜。

你问：

"那是不是很坏？很不负责？"

"大家还没有任何的承诺，怎算不负责任呢？"

你又问：

"我是以为自己喜欢他，所以才开始的，所以，有点尴尬，不
知怎样跟他说。"

曾经有一刻喜欢他，这不已经是对他最大的恭维吗？

爱情也有试用期，大家都有权试用对方。既然试用期不合格，
也就只好各自另谋高就了。

你又说：

"这样会不会不好意思？"爱情是没有不好意思这回事的。难道
你因为怕不好意思而勉强自己吗？不喜欢一个人，那就尽快告诉他，
让他能够另外找一个爱他的人，这才是最负责任的行为。

不要自大狂，不要以为你会令对方很痛苦。

那不过是一段试用失败的爱情，距离痛苦还有很远很远。假如
不喜欢也一直拖下去，你才真的是不好意思呢！

你不懂得爱自己

有人问：

"如果你喜欢一个人，那个人却不喜欢你，那怎么办?"

这种情形从来没有发生在我身上，因为我根本就不会喜欢一个不喜欢我的人。

我不能够忍受被人拒绝。

他不喜欢我，我为甚么要喜欢他呢?我才不会自讨苦吃。

喜欢便是喜欢，不喜欢的话，是没法勉强的，我更不会等待。

等待一个不喜欢我的人改变心意，不如用来等待我心爱的人。

我从来不看那类教人怎样使别人喜欢自己的书。

近年，科学家发现每个人身上都会分泌一种独特的费洛蒙，人们互相吸引，正是被这种独特的气味吸引。你的费洛蒙没有俘虏他，那不是你的错，也跟你的外表和智慧没关系。

他爱上的那个人，也许绝对比不上你，但他们的费洛蒙相投，那有甚么办法呢?

为一个不喜欢你的人流泪，那样值得吗?

如果他是有苦衷，是有甚么理由不能跟我一起，那我还可以接受。

然而，他根本不爱我，那么，这个人是不值得的。

他不爱我，我也不爱他，这样最公平。

如果你真的没办法不去爱一个不爱你的人，那是因为你还不懂得爱自己。

被挥霍的爱情

爱情是有配额的。当一个人对另一爱已经耗尽了，也就是配额用完的时候间，他会变得很冷漠。

女人有一个对她千依百顺的男人。

多少年来，他总是毫无底线地迁就她、疼爱她。她常常嚷着要分手，她并不是真的想分手，而是爱用分手来威胁他、折磨他。

这一次，两个人因为一些小事吵架，她又嚷着要分手。

"好吧！"男人说。

她以为他是在逞强 然而，这一次，他真的头也不回。无论她流了多少眼泪，他也不再心痛了。

他已经不爱她么？也许，他的爱已经用完了。近来读韩少功着的（马桥词典），里面有一段文字，写的是两母子的感情。

儿子长年照顾疯疯癫癫的母亲，精力和感情也耗尽了，当她离世时，他流不出一滴眼泪。作者写道："对方已经毫无可爱之处，因此惯性的爱不再是情感，只是一种理智的坚守和苦熬。

人们可以想像，一种爱耗尽之后，烧光之后，榨干之后，被对方挥霍和践踏得一干二净之后，只剩下爱的残骸和渣滓，充满着苦涩，充满着日复一日的折磨。"

这一段文字，何尝不是在诉说一段被挥霍和耗尽了的爱情？

是成全呢？还是不成全

谁不知道爱应当是一种成全?可是，做起来却不容易。

《花生漫画》的其中一张，查理．布朗一边吃薯片一边流着泪说:"爱是她快乐，我也快乐，但这是不容易做到的。"

所谓成全，是包括接受自己不是他的最爱，也不是唯一。

成全他去找寻梦想。那就是说，他爱他的梦想比爱我更多。

为了成全他，只好接受他离开。他离开了，怎知道会不会爱上别人?

也许，有一天，他会爱一个人比爱他的梦想更多，但那个人不是我。

为了成全他，也和别人分享他。

爱一个人，是拥有呢?还是不去拥有呢?

能够和别人分享的人，是不是爱得更深一些?

既然他没法离开那个人，他两个都爱，那我也愿意和另一个人分享他。

最好的爱，当然是只有两个人，无可奈何，才接受三个。

接受了,才知道分享比独占需要付出更多,那是不容易做到的。

你也许能够为所爱的人舍弃生命，却不能够成全他去爱别人。

千古艰难的，不是一死，而是成全。

避雨的爱情

好的爱情和坏的爱情是很容易分别出来的。

好的爱情使你的世界变得广阔，如同在一片一望无际的草原上漫步。坏的爱情使你的世界愈来愈狭窄，最后只剩下屋檐下一片可以避雨的方寸地。

好的爱情是你透过一个人看到世界，坏的爱情是你为了一个人舍弃世界。

好的爱情，最狭窄的时刻也不过是大家在床上的时候，是最挤逼的了。

坏的爱情，最广阔的时候也只是上床的时候，那已经是最大的空间，人于是变得愈来愈狭隘，爱得死去活来，也无非是井底之蛙。

好的爱情是能够令本来没有理想没有大志的你，变得有理想和大志；本来偏激的你变得包容；本来骄傲的你变得谦逊；本来自私的你变得肯为人设想；本来没有安全感的你，变得不再惧怕。坏的爱情与这一切全然相反，你唯一可见的将来就是爱情，没有别的可恋。

好的爱情让你时刻反省自己付出的够不够多，使你妒忌的时候心存愧疚，使你不害怕老去，因为即使年华老去，你也不会失去对方。

你不会担心十年后，你们的步伐不一致，因为你们携手漫步在草原上，而不是在屋檐下避雨，当雨停了，也就没必要再相依下去。

不肯定的爱情

不肯定的爱情，有时候，也是一种折磨。

整个早上，你在等他的电话，好想听听他的声音，你昨天不舒服，好想今天向他撒一下娇，只是，他的电话一直没有打来，到了中午，你只好失望地一个人出去吃饭。

下午，他的电话打来了，可是你已经没有那样的心情，你不会告诉他今天早上你多么渴望听到他的声音，反正已经过去了，他和你又不是什么男女朋友关系。

天气那么寒冷，你和他并肩走着在他问你冷不冷，你说冷，可是，他竟然笨得不会脱下外套给你。啊，是的，他是你的什么人？他没有这个义务，你根本不知道他有多喜欢你。

两个人走着走着的时候，你好想拥抱他，偏偏他像一块木头那样，你不知道他心里想些什么。

这种事，总不成由女人主动吧？一场愉快的约会结束，他送你回家你憧憬道别的一刻，他会勇敢地吻你一下，可是，他竟然尴尴尬尬的两手插在裤袋里，比你还要矜持，难道要由你问他："你想不想吻我一下？"

你从外地回来，他说："我那天有空，可以来接机。"这一天，你走出机场，果然看到他，你好想跳到他身上，听他说一句："你走丁之后，我很挂念你。"

谁知他只是一本正经地问你："好不好玩？"他什么时候才能变得肯定一点？

为什么他总是在你最渴望的时候让你失望，在你期待的时候让你伤心？

在你踌躇满志的时候，义让你无端的失落？难道这就是爱情？

不可挽回的旧梦

有些人比较幸运，年幼时没机会学钢琴和芭蕾舞，长大了，自己赚到钱，还可以去学。虽然是老师手上最老的学生，但是旧梦能够兑现，毕竟无憾。以前梦想开跑车，等到四十岁才可以拥有自己的跑车。

以前渴望坐豪华邮轮环游世界，等到五十岁才可以实现，虽然是晚了一点，毕竟能够圆梦。物质的旧梦容易兑现，人生的旧梦却是不可挽回的。

譬如，你希望你是父母最疼爱的孩子。你但愿你和哥哥或妹妹的缘分深一点。

你但愿你在父亲生前能够勇敢地表达你对他的爱。

你并不想当医生，你宁愿当一个小提琴家，但是你不可能放弃现在拥有的一切。

你并不想做一个商人，你渴望当一个画家，但是你的家人需要你照顾。

如果可以，你希望对你的初恋情人好一点，你以前对她太差劲了 你曾经有一个很要好的朋友，他改变了你的生命，后来，很多事情也改变了，以致你的感情也改变了，从此不相往还，如果可以，你想挽回这一段友谊，再和他一起浪掷时光。

你曾经有一段刻骨铭心的爱情，但你没有与他斯守终生，这个旧梦永远无法重温。

每个人都有不可挽回的旧梦，重寻旧梦的代价往往是我们付不起的，但你付得起，又无法重温。

何事苦勾留

我们常常称赞那些放下一切离开的人有勇气。

其实，赖死不走，也需要很大勇气。

上司已经多次暗示，同事也投以白眼，这个人工作能力低，表现差劲，大家都想他离开，他偏偏赖死不走，坚持到底，难道这不需要勇气?

这个男人已经不爱她了，他对他很冷漠，常常找机会挑剔她，精神虐待她，他的目的只又一个，就是认他自动消失。

可是，她太爱他了，无论他怎样对她，她都不肯死心，她宁愿做他脚边的一条狗，无论他怎样踢她，她决定赖死不走。

这样不顾一切留下来，也是需要勇气的。

这段婚姻已经破裂了，他明日张胆地跟另一个女人一起，为了换取自由，他愿意给她最好的条件。然而，她还奢望只要留着名份，他始终会回到她身边，她天真地以为，他只是一时情迷意乱，他会觉悟的。

即使他不觉悟，她宁愿要奉个丈夫，也不肯离开这个家。

她的丈夫已经不要她了，她仍然赖死不走，她的勇气绝不下于那些豁出去的人。

忍痛离开的人潇洒，赖死不走的人，是令一种执著。有勇气离开，就有勇气赖死。

不要取笑赖死的人，他们执迷不悟，苦苦勾留，是另一种执着。

爱或不爱，都是悲伤的

一个男人跟我说，从前，失恋是失去所爱的人；后来，失恋是失去恋爱的感觉。

失去恋爱的感觉，比失去所爱的人更难受。

一天，他忽然发觉他不再爱那个人，然而，第二天，当他见到她，他重又发现他是爱她的。爱情本就是这样。

你很爱很爱一个人，爱得很苦，微笑时都会痛；然后，有一天，当他不在你身边，当他或许会离开你，你忽然又发觉，也许；也许你并不爱他。可是，到了第二天，你却又开始想念他。

在爱与不爱之间徘徊，本就爱情的本质。你不可能每天都那么爱他。

你所以为不爱，也不过是体内的一个自我保护装置发生效用了。

它告诉你，太爱一个人和太需求一个人，是很危险的；也许，你并不是那么爱他。

然而，爱是一种本能。我们虽有怀疑，却一再肯定。终有一天，我们会不顾一切的关掉那个自我的保护装置，任由肉身去尝尽苦果。

最近，我度过了很多个无眠夜，想了一些自己从来不会去想的问题。我要一个怎样的人生？我还相信爱情和承诺吗？

夜里，我读了一本书，作借说，这个时代的女人都在寻找自我，男人却无法蜕变，只能可悲地留在过去的日子。

我何尝不是在寻找自我和蜕变呢？我在寻找自己的人生，在阵营自己的存在。

爱或不爱，都是悲伤的。原来，我从未了解自己。

去留无意

想起绿色，我会想起《ER》里的 Dr·Green。他是急症室里的"圣人"，丫从不迟到早退。前几集的《ER》Dr.Green 坚持要亲顾患了肺癌的爸爸。这一对一向不大亲近的父子，因为即将要永别了，才发现对方在自己心里是多么的重要。

当 Mr.Green 在梦中然而逝，这个见惯生狲死别的 Dr·Green 也终于嚎啕大哭。

男人的眼泪，总是比女人感动三分。

我喜欢的男人，是绿色、蓝色和灰色的。灰色安定，蓝色深沉，绿色是智慧而平和的颜色。这三种颜色，也是我衣柜里的颜色。

童年时，妈妈常常要我穿红色，她认为穿红色的女孩子漂亮。所以，当我长大了，我最害怕的是红色。我的衣柜里只有一、两件暗红色。我首先喜欢的，是深蓝色。整个中学阶段，都是穿蓝色。后来，甲为觉得自己胖了，很想掩饰一下，于是爱上黑色。近来瘦了，又买了许多白色。爱上绿色，是去年的事。去年冬季，我买的衣服、皮包和鞋子，几乎全都是绿色的。看见人家做了绿色的头发，我几乎也想模仿。

前几天，我作了一个很大的突破。我买了两条碎花图案的裙子，一条是咖啡色的、吊带的；另一条是长袖的、深蓝配暗红。我犹豫了很久才买。我的衣柜里。从；来没花俏的衣服。穿出来的话，一定会把朋友们吓了一跳。然而，那两条裙子实在太漂亮了，买回去满足自己也是好的。

也许，当我能够爱上绿色我便能接受更多的颜色和变化。绿色不像黑和白那么决绝和孤高。绿是回归。"望天上云展云舒，去留无意。"那是绿色，一切的规范，也再没意义。只要我喜欢。

最悠长的向往

对于快乐的向往，是人生最悠长和神圣的向往。我们矢志不渝的，是对快乐的追寻。

人若为了痛苦而活着，那是不值得活的。在痛苦着看到了盼望，那才有活下去的意义。

美国的霍华德·卡特勒博士，追随着达赖喇嘛，并且把两个人之间的谈话记录下来，编写成书，书的名字是《生活更快乐》。

不要以为宗教总是叫人去吃苦，达赖喇嘛说：

"我相信人生的目的是追求快乐。这是显而易见的事。无论一个人信不信宗教，或是信的是甚么宗教，我们每个人都在寻求生命中更美好的一面。我想我的人生目标就是追寻快乐……"

我们来这个世界，不也是为了追寻快乐吗?努力工作，是为了改善生活，那样才能够找到更多的快乐。恋爱和分手，也是为了快乐。既然一起已经不快乐，那只好分开了。

十来岁的时候，老师在我们眼中是神圣的，也几乎是富贵若浮云的。我却记得我的班主任说：

"最快乐的那一天，是发薪水的那一天!"

谁说金钱买不到快乐?我没那么清高。金钱让我们生活无忧，然后才可以去追求爱、梦想和自我完善。

当你找到了爱和梦想，你才明白，最大的快乐，的确不是金钱可以买到的。快乐，在我们的心里。

当你不去跟别人比较，你是快乐的。

当你能够付出，你是快乐的。

当你明白了人生的无常，你会知道，你有住的地方，有喜欢的工作，有所爱的人，是多么的幸福和快乐。

不要为明天忧伤。转眼已是天明，今天不快乐，你便永远失去了一天。

男人永远是穷人

位列世界富豪榜的，通常是男人。在经济市场上，男人一般比女人富有。然而，在爱情投资市场上，女人是富人，男人则永远是穷人。

女人擅于爱，也擅于付出。女人只要找到爱，就觉得自己的生命很丰富。女人很懂得怎样爱一个男人和怎样从男人身上得到爱情。女人穷毕生精力寻找的，就是爱情。虽然女人常常被仿害，但正因为她常常受侑，她更懂爱，她累积的爱更多。每一次失恋，她对男人了解更深。

男人在爱情方面是不富有的。大部分男人懂得追求女人，却不懂爱女人。他只知道要照顾和保护女人。他们从来不知道女人心里想甚么，女人最需要甚么。除了金钱，幸福，承诺和安全感之外，女人还需要爱的感觉。幸福的感觉并不就等于爱的感觉，男人却会问："你这么幸福，还有甚么不满呢？"假如她只是一头宠物，幸福就已经足够厂，可惜她是一个女人。

男人从来没有把爱情放在第一位，他当然无法成为富翁。

男人失恋的时候，总认为尊严受损。他们得到爱情时，又偏偏把爱情放在一旁。他们是注定贫穷的。

感觉不可以重来

万一你患上失忆症，忘记了以前所有的事情，你还会爱你曾经爱过的人吗?你甚至不记得他是谁，但他告诉你，他是你的情人，在你失忆之前，你们是很要好的。你能够重新爱他吗?

也许可以，但这段爱情不可能跟从前一爱是一种记忆，是一点一滴加起来的。两个人从相识到相爱，经历了许多事情，共同拥有许多美好的回忆。回忆是无法重来的。

你已经不是以前那个人，你还会爱他吗? 一个女孩子说，他男朋友在医院醒来之后，忘记了以前的事情。他张开眼睛看到她时，问她:"你是谁?"

她告诉他自己是谁。他说:"那'样么，我们从头来过吧。"

我想，不会有一个人是永远失忆的。然而，在他还没恢复记忆之前，这两个人真的可以从头来过吗?

他可以跟她再去以前大家常去的地方，可以再吻她，拥抱她，亲她。每一件已经过去的事情，他们都可以重复做一遍。

事情可以重复，感觉却不可以重来。换了一个人，感觉固然不一样，即使是相同的两个人，故地重游，感觉也不会一样。我们能够爱，是因为记得很多事情，而不是忘记了。

旧日的情信

一个女孩子说，她把男朋友以前写给她的情信拿出来再看一遍，本来是想回味一下，谁料却是愈看愈心酸，因为她发觉有许多承诺是他没有做到的。信上的温柔软语，对比今天平淡的感情，只令人觉得伤感。有些回忆，还是不要去碰的好。

科学理论是可以反覆验证的，爱却不一定可以。许多年后，再拿出来，也许已经不是本来面目。

有些事情，不要记得那么清楚。你记得他好像这样说过，他彷佛有这样说，那就够了。他以前写给你的信，你当时看后觉得感动就好了，不要希冀那片刻感动能持续到永远。

有否想过，你把以前的情信再看一遍时，不觉得感动，不是因为他答应了你的事没有做，也不是现在的感情比不上以诚而是你长大了？

旧日的情信，还是不要再看。他没有以前那么爱你，你会伤心。你没有以前那么爱他，你会内疚。每看一次，都是一次折磨。

当然，有些人比较幸福，年深日久，他们的爱并没有褪色，女人把情信再看一遍，心里依然甜蜜。

自问爱情已经褪色了的人，还是不要去翻开这个记忆里的盒子。

谁想做癞痢？

我有一位朋友非常讨厌男人嫖妓，她说，若给她发现她男朋友曾经嫖妓，她是绝对不会原谅他的。"为甚么要用钱来买性？"她常常这样说。终于有一天，她宣布投降了。

那天，她在街上碰到一个长得很丑的男人，她心里想："除了嫖妓，他还能有其他出路吗？"

有些男人的尊容或条件，的确没有可能找到爱情。嫖妓似是唯一的出路。

不单男人如此。有些女人，我们不明白她为甚么老是爱上不济的男人，为那个男人做牛做马，被他拳打脚踢，川私己钱来补贴他。我们说她没眼光，说她自作孽。可是，看看她们本身的条件，你就明白她为甚么只能找到一些糟糕的男人。

你以为她不想找一个好一点的吗？你长得漂亮，又读那么多书。你当然可以说风凉话。她们不补贴的话，根本找不到男人。

男人去嫖妓，女人跟着一个不堪的男人，两者也许都是出于一个无奈的选择。有头发，谁想做癞痢？只要不伤害到其他人，我们也没权质疑他们的选择。

人在面对感情和生理的需要时，最能体会一个老生常谈的真理：现实和理想，往往是两回事。

把悲伤留给时间

没有一种悲伤是不能被时间减轻的。

生活的步伐愈来愈快，我们忘记悲伤的速度也会愈快。

从前，生活的节奏比较慢，选择也比较少。失恋以后，有些人会悲伤很久很久，甚至一辈子。

现在还有这种人吗?

我们愈来愈忙碌，选择愈来愈多。失恋并不是世界末日。即使很爱那个人，也用不着用一辈子来悲伤。只要投人一段新的恋情，以经能够减轻悲伤了。

仍然忘不了他?那没关系。你可以一边想念他，一边尝试去爱其他人。时间会让你发现，你现在爱的那个人比以前那一个好。你曾经以为他是不可代替的，原来，你那时跟本就没有爱过他。为甚么还要悲伤? 时间会让你了解爱情。

多谈几次恋爱，你才知道，你真正爱的是谁。

多失几次恋，你才会明白，失恋是平常事。时间能够证实爱情，也能够把爱情推翻。

多么壮丽的爱情，也会被时间冲淡，又可况是悲伤? 拥抱悲伤，压根儿就是自虐。

假如你心爱的人离开了你，那么，你也该赶快复元。他那么爱你，你舍得他看到你悲伤吗?

不要把悲伤留给自己，你要把悲伤留给时间。时间是悲伤最大的敌人，只是它可以把悲伤打败。

他不想别人知道

Y 说："我男朋友不想别人知道我和他在谈恋爱。"

问她："你男朋友是四大天王吗?""不是。"她说。"他是有妇之夫?""当然不是。"她说。"那么，他是名人?""不是。"她说。"他是你上司或者同事?"也不是。"她说。

他不是四大天王，又不是名人，不怕被人跟踪，又不怕影响事业，却不肯承认和一个女人谈恋爱，那么只有一个原因，就是不够爱她。

Y 替他辩护：

"我们刚开始不久，谁也不知道将来会怎样，让人知道我跟他在一起，万一日后分手的话，对我不太好，他这样也是为了保护我。"

傻瓜才会相信他的话。谁能保证拍拖不会分手?为怕分手而不承认拍拖，这个藉口会不会太牵强?

男人不肯承认和你拍拖，在街上碰到热人的时候，他立刻甩开你的手；在朋友的聚会上，他故意与你保持距离，聚会结束之后，不送你回家，回到家里才打电话跟你说甜言蜜语。昨天跟你亲热，今天在公司碰到你，却只是轻轻跟你打个招呼，像普通同事那样。这种男朋友，要来干什么?

爱一个人爱得那么委屈，不如不爱。

他不肯认你，是他嫌弃你，他不敢坦白承认他嫌弃你，就美其言说要保护你。

即使他是有点爱你，爱得那样保留，就是不尊重你。

男人对女人最大的礼赞，就是以她为荣，他羞于承认你和他的关系，是在侮辱你。别相信他的狡辩。

谁是最在乎的？

女人向男人提出分手的那一刻，男人垂下眼睛，眼泪簌簌的流下来。"可不可以不分手？"他哀求她。

女人还是绝情的摇了摇头，男人哭得更厉害。

她从来没见过他哭，她也想不到他会流泪。感情开始的时候，是她比较在乎他的。在她之前，他有一个四年的女朋友。那个女孩子后来选择了另一个男人。可是，再后来，他知道她生活得不怎么快乐。他心里常常惦记着她，总觉得她是最好的，而这刻在他身边的女人，不过是寂寞时的伴侣。

当时，这个女人太爱他了，明知道他思念旧情人，她也努力不去介意。她告诉自己，那是因为他刚刚和旧情人分手。

她和他一起三年了，她不知道他还有没有思念旧情人。那已经不重要了，因为，她发觉自己已经不爱他。不爱他的程度，是她宁愿随便找个男人也不要他。

她一直拖延，不知道怎样开口，怕会伤害他。终于，那天晚上，她觉得不能再背叛自己。

约会之后，他送她回家，她向他说了。第一次看到他流泪，她连心痛的感觉也没有，只是觉得他哭的样子很难看。现在，他比她在乎，但她已经不会回头了。爱情这回事，不到最后，也不知道谁是最在乎的。

爱情不是投资

有时候，我们不愿意离开一个人，是因为我们在他身上投资了太多东西，包括感情、青春，甚至是金钱

跟他的关系愈来愈坏，彼此的话题愈来愈少，相处得愈来愈不开心，无数次想过要分手，却仍然留下来，因为，已经投资了那么多，没理由现在放弃。

中途离场，以前的损失怎么办？

已经下了注，不赢一笔，太不甘心了。

于是，每一次闹分手，也不肯真正的分开。

好像还是爱他的，爱他甚么呢？渐渐地，自己也不知道为甚么爱这个人。

也许，自己只是不肯承认爱情已经消逝了。我们可以投资在自己身上，却不可能投资一段爱情。

无论你有没有遇上这个人，你也会一天比一天年老，为甚么说他耽误了你的青春呢？是你耽误自己。当你付出感情去爱一个人，你也享受那个过程，这不是投资。

至于金钱，何尝不是你甘心情愿的？最聪明的投资，是在知道大势已去的时候，立刻撤退，不要奢望拿回当初的本钱。趁自己还有本钱的时候，投资在别的事情上吧。

你曾经害怕吗？

英代尔(Intel)的总裁葛洛夫在他所着的《10倍速时代》一书的开首说：

"对于变化，我们需要的不是观察，而是接触。距离曾经是一道鸿沟，阻绝了人们，孤立了人们，使他们无法接触到在地球另一面工作的其他人。"但是，如今科技正每天每天一寸又一寸地缩小这鸿沟。世界上的任何一个人，都即将变成我们每一个人的工作夥伴和竞争对手……"

今天，我们处身的社会，是一个无论成功或失败都以十倍速进行的时代。你曾经害怕吗？

我是害怕的。我从小就是一个恐惧科技的人。我不会接驳家里的电视机和音响器材。

我讨厌阅读任何电器的说明书。

稍微复杂的电器也会把我弄得一头烟，更不用说是电脑了。

上大学的时候，电脑是必修课；可是，我的功课都是同学替我做的。

我曾经拒绝电脑，就像我在中学时拒绝物理和数学一样。物理科的老师疼我，所以，无论我的分数多么低，他也让我合格。他使我以为，我可以一辈子逃避我害怕的东西。

然而，互联网的出现在短短数年间改变了一切。

如果我只肯观察而不肯去接触，我会变成一个追不上时代步伐的人。这是我更害怕的事情。

干禧年来临的那段日子，我的情绪低落到极点。一个新的世代出现了，天地茫茫，我忽然感到惶恐；以后的我，还可以像以前一样吗? 我将要怎样走将来的路?互联网的热潮,也像千禧年的降临一样, 风起云涌, 我们不知道何去何从。

逃避不是办法,唯有积极面对才可以幸存。活在今天,不论你是男人或女人,也需要更多的知识和勇气。最大的恐惧是恐惧本身。

我们有甚么是不可以克服的呢? 我们能够承受爱情里所有的失望和痛苦,我们还会害怕一台电脑吗?

为自己留一抹绚烂的色彩

　　我自己很喜欢英国作家彼得．梅尔的《山居岁月》和《恋恋山城》。这两本书，恒久地放在我的书桌旁边。

　　每当我疲倦和失去目标的时候，我便会拿起来翻一翻。

　　它们是我的心灵慰藉。彼得．梅尔是英国著名的作家。

　　二十四年前，他放弃了国际大广告公司的高薪厚职，在生命与事业最颠峰的时刻，自纽约与伦敦的缅烂都会中淡出，偕妻于和他那条毛茸茸的小狗"仟仟"，隐居在法国南部的普罗旺斯山区，随后发表了(山居岁月》"A Yearin Pmvence"和《恋恋山城)"To 山 oursProvence"。

　　两本书都是记载他在普罗旺斯的乡间岁月。在作者活泼的笔触下，这个南部的山区，让人悠然神往。

　　此地放眼是葡萄树和山峦。生活朴素平静。在这里，买橄榄油、采樱桃、找松露，都是大。寻找美食，是生活，甚至是生命的重心。

　　一个老农，一个工人，都饶有趣味。

　　生活，可以是花团锦簇，也可以朴实无华，两者同样美不胜收。LfecanLebeautiful，生活可以很灿烂，全在乎你怎样去选择。

　　你可以奢侈地放一个长假，去寻找心灵的避难所，你也可以在身边寻找缤纷璀璨的颜色。

　　生活里如果只有黑白和灰，那未免太单调沉闷了。

　　你有用心灵去欣赏身边的各种色彩吗?

　　天空是蔚蓝色的。

　　当夕阳沉没晚空之中，云层是耀目的橘于色。

　　山是绿色的，雨后更青翠。

水蜜桃是娇嫩的粉红色。

葡萄是醉人的紫。

西瓜的红，是夏日最诱惑的红。

星星是夜空的金粉。

你曾否用大自然的各种颜色洗涤心灵？

在忙碌的生活里，别忘了为自己留一抹绚烂的色彩。

有梦的人永远不老

很久以前养过一条白色的小狗。一天晚上，它在我脚边睡着了。它张开四肢，肚子朝天，睡得很甜蜜。忽然之间，我听到它发出呜呜声的梦呓，脚爪抖了几下，嘴巴也在微笑。原来狗儿也会做梦。

养过猫的朋友说，猫也会做梦，而且发出嘶嘶声的梦呓。

那么，飞鸟和鱼也会做梦吗？蝴蝶和蜥蜴是不是也会做梦？

做梦并不是人类的专利。然而，鸟兽虫鱼不可能去实现梦想，人却可以。

没有梦的人生，实在太空洞了。医学专家发现，人在母体里已经会做梦，婴儿做梦的频率很高。

一个人年纪愈大，做梦的次数反而愈少。

年轻的时候，我们生活在梦中，年老的时候，却只能活在回忆之中。

回忆虽然美好，毕竟已成过去。梦想却代表今天和将来，趁年轻的时候，我们应该多做几个好梦。

在这个细小的都市里，拥有梦想，几乎是奢侈的。我们每天为生活奔波，连理想也要放弃，何况是梦想？

女人与梦是分不开的，我们被认为是最爱做梦的动物。我们爱做白日梦，更爱做情爱的梦，却常常忘了追寻人生的梦。

今期《Amy》的大特集是EMBRACEYOUR DREAMS，拥抱梦想。

一个梦，也许可以改变现状，甚至改写你的一生。梦想白马王子的时代已经过去，我们不需要白马王子，也可以活出灿烂的人生。

你有梦想吗?你喜欢自己的人生吗?

光是坐在那里埋怨自己的际遇,你也只会和平凡的际遇一起终老。

从今天开始,你能够拥抱梦想而活吗?那个梦想即使落空了,追寻梦想的过程却是甜美的。

梦是灵魂的出口。有梦的人,永远不老。除了梦想之外,我们还能够用甚么来对抗岁月流逝呢?

每天穿在身上的东西

在台北买了几米新书，书的名字是《听几米唱歌》，其中一篇是{疲惫人生)，一双神情忧伤的熊，正在衣柜前面穿裤子。衣柜里，挂着几个不同表情萨面具，还有几副眼镜，几米写着：

"大家都说做人很累，我也这么觉得。

要戴上假发、戴上面具、戴上眼镜、戴上笑容。

穿上内衣、穿上外衣、再穿上外套，穿上内裤、穿上外裤、再系上皮蒂，穿上袜子、穿上鞋子、再绑上鞋带，天天都是如此，直到上天堂。

你的每一天是否也如是？

我没有戴假发，没有戴面具，不用戴眼镜，也没有戴上笑容。我的笑脸和我的厌恶，都是真的，从来也不懂得掩藏。

穿衣服是美化自己，当然，脱衣服时更开心。所以，我爱泡温泉，露天的更好，那会给我一种与天地合一的感觉。

我们每天要穿在身上的东西，应该比几米所说的更多吧？譬如：自信、坚强的样子，潇洒的模样。

满不在乎的神情。

然后，回来家里，我们又打回原形了。

自欺欺人的时候

父母总是认为自己的孩子是天底下最聪明的，然而，孩子却不会认为自己的父母很精明。他们所了解的父母，都是喜欢自欺欺人的。

妈妈会下令正在谈恋爱的女儿不得晚过午夜十二点钟回家。她们相信，要是女儿半夜三更才回家，就是跟男朋友做了那回事。十二点前回家的女儿，是守规矩的。

要做的话，白天不可以做那回事的吗？

一天，当女儿告诉父母，她下星期要跟朋友去露营。父母又真的相信她的确是跟朋友们一起去，而不是跟男朋友去。

当女儿打电话回来说："我今天晚上在同学家里过夜。"他们又会相信她真的是在一个同学的家里。

当女儿说："我要搬出去住，是跟一个同事一起住的，方便上班。"他们也会相信自己的女儿是跟一个女孩子一起住。

当女儿跟男朋友到外地旅行，他们仍然 相信自己的女儿是不会乱来的。 当自己的孩子爱上了一个同性，父母会 说："他会改好的。"

这种事是可以改过来的吗？

孩子长大了，有自己的世界了，是时候离家了，也就是父母开始自欺欺人的时候。

不必回音

这些年来，每一年的圣诞节，我会寄圣诞卡给我以前的一位中学老师，从未间断，我没有在圣诞卡上写上我的地址。最初不写，是不想失望。如果收不到她的回音，我怕我会失望，后来不写，是因为已经没有这个需要了，有些事情，是不需要回报的。也许，我同时也害怕收到她的回音。

每年的一张圣诞卡，只是一个温暖的问候。若她有回音，那便变成一份感情。有了感情，便有负担。多年没见了，如果在路上碰到她，或者有机会坐下来，我甚至不知道说些什么。旧同学之间，会有许多共同的回忆。师生之间，却没有太多共同的往事。

圣诞卡寄出去许多天了，一天，我忽然收到她寄来报馆给我的一张圣诞卡和一个音乐盒。她知道我喜欢音乐盒。她在卡上说，最初那几年，收到我的圣诞卡时，并没有特别大的感受，后来的每一年，当圣诞节来临，她便刀：始盼望收到我的圣诞卡。每天看我的专栏，也早已经成为她的习惯。

思念和等待，也都是一习惯吧?为了不让她失望，往后的日子，我还是会寄圣诞卡给她。

至于见面，也许不必了。我从来没有回去过我的母校，那是近乡情怯。

最贴切的四个字

小时候作文，第一句通常是："光阴似箭，日月如梭。"

后来，为了有点变化，又会写成："光阴有如白驹过隙。"

再后来，为了表示自己的文字修养进步了，便会写成："光阴荏苒。"

光阴到底过得有多快呢?我们常常用的，不过是前人的智慧。每个人的时间也是不一样的。

有些人永远停留在十八岁。

有些人永远停留在二十九岁，她不要三十岁。

有些人的光阴停留在人生最快乐的时光里。除此之外，没有更值得他怀念的。

有些人的光阴停留在恨里。因为恨一个人，他一辈子也停留在恨他的那段时光里，不知道浪费了多少岁月。

使人感到光阴飞快的，也许是我们的回忆吧?你在街上碰到一位旧朋友，这才想起，你们认识超过十年了。一天，你想起从前某件事情，那是更久之前发生的呢! 原来无论你读了多少书，花了多少心思运用美丽的词汇去形容你所了解的光阴；最后，你还是不得不同意，最贴切的四个字，依然是：

光阴似箭。

不要代替任何人

女人伤心地说："我和他一起多年了，可是，我知道他心里仍然怀念着逝去的妻子。我是没法代替她的。"

那就不要代替她好了。

不要渴望自己可以代替别人。当自己没法代替另一个人的时候，也不要因此而悲伤。你是你自己，你用不着代替任何人。也许，在这个男人的回忆里，你还没有胜过他逝去的妻子；然而，你胜过她的，是你活着，而她却不可能复生。

是谁陪着这个男人度过以后的每一天呢？是谁在他沮丧时给他安慰，又是谁分享他的成功和快乐呢？是你。

当我们发觉自己没法代替另一个女人时，我们难免感到沮丧。然而，当我们发觉自己不需要代替任何一个女人，我们便会豁然开朗。

想代替另一个人，这是多么傻的想法？

要代替别人，是吃力的。要做自己，容易许多。他爱你，因为你是你，不是因为你是他亡妻。

你死了，他同样会怀念你。你还活着，所以你会怀疑。有什么比活着更幸福呢？

每一个人和每一段爱，也是独特的。对他来说，你也是独特的，没有人可以代替。

回忆有时是可以并列的，并不一定要有轻重。

贴身感觉

张小娴散文系列

Y的公平

许多年前，美丽的女朋友Y恋上有妇之夫，在烟花之地结识，我早知道这段情不会长久，只是Y爱得十分投入，我不便多言。

事情终于爆发，她目睹他与太太把臂同游！噢，他不是说跟她已经没有感情，同床异梦，正准备分开吗？

是夜，Y干了一瓶ＸＯ，把男人召来，在深夜的尖沙咀海防道上，高声哭闹，力竭声嘶，拿着高跟鞋敲打男人的胸口，指着他说："你这样对我不公平，不公平！"

Y把男人从街头拉到街尾，扭作一团又分开，终于蹲在地上大叫："你知道吗？你对我实在太不公平了！"

众目睽睽，男人十分难堪，竟驶车离去。

Y抱着我，不肯回家，无处落脚，唯有跑到对面酒店开一间房，让她睡一晚。

她抱着厕缸吐了几次，说第一次明白什么叫做肝肠寸断，肚里的肠像断开了一截一截，我说，那可能因为酒，而不是因为爱情，别美化自己。

她凄然问我，是否爱错了人。我说，即使我说是错，她未必肯承认，而且即使是错，都已经爱了，何必再问？

我认为她愚蠢，不是爱了不该爱的人，而是在爱情里声讨公平，那等于向和尚借梳。

我为一个人牵肠挂肚，他却宁愿在外面流浪，这样公平吗？我为一个人忠贞，他却风流如故，公平吗？我为他牺牲那么多，才感动了他，又是否公平？

我们爱一个人时，从来没有要求公平，而是要求灿烂，何以事后却声讨之？

Y后来与男人和好，我却付了一晚房租，对我又是否公平？

爱情的标点符号

句号，一切都完结。我和你，到此为止，不必继续，再下去也没有意思。　　有些名号写得无可奈何，有些名号，写得非常决绝。有时是男人划上句号，有时是女人。自己划上句号，总比由对方来划好。最令人失望，是未曾开始，已经划上句号。

人生最不幸的事，是每一段爱情，最后都只得一个句号。

感叹号，用来表示强烈的感情，如兴奋、坚定、愤怒、欢息、惊奇、请求或祝福等等。

爱情怎能没有感叹号！

"我爱你"要用感叹号。

"我恨你"也要用感叹号。

"你是我今生最爱的人"不能不用感叹号。

"你令我太失望，太伤心"要用感叹号。

"我求你不要离开我"是感叹号。

"再给大家一次机会"也是感叹号。

她要嫁人了，"祝你幸福"都是感叹号。

激情、盟约、怨恨、忧伤、哀求、对情人的祝福，都需要一个感叹号！有越多感叹号，越是可堪回味。只有逗号和句号，而从来没感叹号，太没味了。

逗号，用来表示一句话需要停顿、分开的地方，使阅读起来更方便。逗号，是爱情的空间。

问号，用来表示疑问、发问、反问。

在爱情方面的用法，还包括明知故问——"你爱我吗？"是恋爱必答题。

女人最擅长用问号："你从前比较爱我，还是现在更爱我？"

"你昨晚去了哪里？跟谁在一起？"

女人的反问，相当咄咄逼人。

"是不是要等到我人老珠黄，你才肯和我结婚？"这个问号十分重。

男人不常使用问号。对女人而言，男人本身，便是一个很大的问号。

引号，说话、专有名词、特别强调的句子。

男人说，女人用得最多引号，因为她们多言。

是的，男人都是行动派。被女人责问的时候，他们更是沉默派，他们的引号是这样用的："……"

专名号，用于书名、人名、国名、地名。

名花有主或名草有主的，都是专号。

破折号，语意突然转变。

"你——"

"我——"

是欲言无言，无话可说。

我觉得分号最暧昧，好像已经说完，又还未完。是余情未了。

爱情是生日蛋糕

我们的爱情，象不象生日蛋糕？

最不想零时十分，一个人切蛋糕。

两个人一起吹熄蜡烛就够了，太多人同时向蛋糕喷口水，不太卫生。

两个人吃一个蛋糕比较好，大家都可以吃到士多啤梨。

向蛋糕许个愿吧！虽然愿望不一定会实现，我们总是一次又一次衷心许愿。对着蛋糕我们情不自禁。

我们会怀念生命中第一个生日蛋糕。

我们渐渐希望，生日蛋糕上，只插上一支蜡烛。

同时吃太多生日蛋糕，会吃坏人。

美丽的蛋糕，我们其实舍不得把它切开。

我们都希望蛋糕上的烛光继续燃亮，不想吹熄它，是旁人迫不及待要吃蛋糕。

生日蛋糕比结婚蛋糕好，因为它不会有一部分是假的。

最好每个生日蛋糕都不同。

什么形状都好，千万不要是三角形。

随便扔蛋糕，小心自食其果。

可能会有一个蛋糕迎面飞来，令你惊喜交集，失去重心。

蛋糕不能当饭吃。

爱情外伤

一个十五岁的少女，上门找男朋友，他不肯出来见她。她愤然用刀片在手腕上刻上他的名字，然后用红色原子笔把字体填满。

不痛吗？想象一下已经痛得要死！

我才不肯，即使多么爱一个人，也无法做得到，更不希望别人为我这样做。

那是他们的世界！他们的爱情！

少男向女朋友示爱的是用刀片割手腕！一刀割下，皮开肉绽，鲜血冒出来，惨白的少男对少女说"我就是这么爱你！"

虽然他手上有其他伤痕，但少女仍然相信，少男为她所划的那一道，是最深最长最痛的伤痕。

于是少女咬着牙用刀片在手腕上刻上少年的名字回报他。

他们以血和伤口见证他们的爱情！

我们也许无法明白，无法认同这就是爱情。

我们的爱情不是这样的，不是度量伤口，不是以血明志。

如果爱一个人，即使有创伤，也宁愿他不知道。

我们不是惨绿少年，我们受的是内伤，不是外伤

背叛女人好了

最宽容的接受，是接受曾经背叛自己的人。挥泪忘记这去，只求他回来，但求他留下。

女人常常埋怨男人竟肯接受曾经出卖过自己的工作伙伴，男人总是豪气干云地说，男人要有大气魄，肚里可撑船。

但对于男欢女爱，男人不及女人豪迈，女人比男人更肯接受在感情上背叛过自己的人。

女人以为为利益出卖别人的男人不可饶恕，为感情出卖女人的男人，却是可怜的动物，她以宽大的母爱接受回头的浪子。

K的丈夫在她到美国生孩子的时候，竟把女朋友接回家住。K抱着初生儿子，兴高采烈地回来，却发现一女人的睡衣。她不接受他惋悔，把他赶走。

三个月后的一个晚上，丈夫喝得醉醺醺回来，跪在地上哀求她原谅，她竟然觉得心软，她好像从未恨过他，她叫他起来，他保证以后会好好爱她，她突然觉得自己幸福，她把他的背叛，视为夫妻间共同的考验。不是为了孩子，她重新接受他，是她爱他，好想他回来。

他对她说："你是我最爱的女人。"

她含着泪点头，寄望来日。

女人总是努力忘记过去。

但男人不。一个背叛过他的女人并不容易回到他的身边。即使因为太爱她，无可奈何重新接受她，他心里会有一根刺。偶而还要问她："他有什么比我好？"

男人比女人记恨，尤其男欢女爱之恨。前叛比爱情更刻铭心，他不能忘怀，这个女人有一次逃走的纪录，她的身体曾经不忠诚。他们宁可接受见利忘义的夥伴，却不接受负情的女人。是男人比女人重情，无法接受这种出卖，还是女人比男人重情，肯忘却出卖？要背叛，还是背叛女人好。

被宠坏的女人

德国一名贵族富豪的遗孀说，在十年婚姻生活里，她活在童话世界中，给丈夫宠坏了。他满足她一切愿望。奢侈挥霍的假期、珠宝首饰、名贵时装，随便说一句便有。

他逝世后，她才省悟过来，知道世上没有人像他那样宠坏她，迫使她从童话中回到现实世界。

苏卡诺的遗孀戴薇也是被亡夫宠坏了。他去世后，她依旧骄横泼辣，在一个酒会上蓄意伤害另一名媛，结果被判坐牢。

她的后台不在了，谁还要看她的脸色？

四人帮受审时，江青愤愤不平指着庭上各人大骂："我是毛主席的老婆！他不在了，你们都来欺负我！"

各人嘲笑她。

如果有一个男人宠坏你、纵容你、迁就你，任你刁蛮骄横、任性泼辣，要风得风、要雨得雨，你是个幸福的女人，但他最好不要死，要死也不要死得比你早，否则你的幸福都会变成作孽。

被抛弃的好处

　　肥人失恋后，才矢志减肥，成绩炳。寄情恋爱的人被抛弃后，才如梦初醒，努力上进。对创作人而言，被人抛弃简直是好处！

　　诗人被无情的女子抛弃后，脑海里突然闪出很多很多创作灵感和小说题材。对于爱情、生命和人生，他有了新的体会，以致辞、他知道他日后的创作该走哪一条路。被抛弃的过程令他悲痛欲绝，却料不到同时令他重获新生。如果没有被抛弃，他也许永远不会醒觉。

　　如今，单单是关于被抛弃的故事，他手上也有八十多个。

　　有一位编剧，一直被认为很有潜责，但多年下来，发挥都不大，原先看好他的人，渐渐对他失望。直至一天，他突然被女朋友抛弃。

　　失恋的日子很痛苦，当他终于从痛苦中挣扎出来，落笔再写剧本，他惊讶自己已不同以往，因为他沧桑了。失恋随时会是一个突破，因此，负心男人并不可恶，他们倒是相当公平的人。他们得到女人的肉体和感情这些好处后，迅即又抛弃女人，让她们得到被抛弃的好处。

　　从今以后，要离开一个人，不必那么残酷地说："我不爱你！"或"我打算抛弃你！"

　　该说："人打算给你一点好处！"

　　当然，好处越早得到越好，尤其是被抛弃的好处。

承诺太遥远

如果我答应借钱给一个人，我不会期望他是已出之物，他主动归还最好，否则我有什么能力追讨。

当一个人对你说："人不爱你！"

你为什么还要流着泪问他："你说过永远爱我的！你说过的！"

两个人之间的承诺，若一方无法信守，那是无可奈何。是他辩不到，不是他忘了，用不着你力竭嘶去提醒他一次。当一个要离开你，也无谓在提醒他："你说过不会离开我的！"

他说过又怎样？

他对你说的时候，你不肯相信。他要走的时候，你却在追讨？

就把承诺当作爱情的一部分！

我们曾真心许诺为一个人做到一些事，但明天的世界，不在我控制之内。做得到，我会快乐。做不到，我会忧伤，我会的。我也会学习，不去追讨。

有过承诺的爱，终比未有过承诺的爱美。一旦要去追讨，承诺已变得太遥远。

床

爱情离不开一张床，从渴望同床到同床共梦，悲欢离合的故事，都在床上发生。

男人喜欢把女人带上床，女人喜欢在床上发问："你爱我吗？"

"你爱我所以和我做，还是只想和我做爱？"

"我穿衣服好看，还是不穿衣服好看？"

"你对我是不是真的？"

在床上有万语千言，又却语还休的，总是女人。

一旦男人比女人先走下床，女人难免失落，尤其当他穿回衣服，准备回到妻子身边。女人不禁怀疑，她的价值，是否和这张床分不开，只在片刻欢愉。男人的诺言，离开了床，也就失去了意义。

女人可以原谅把情人带回家的丈夫，却坚决要换过一张床褥，因为那张床是她和她丈夫爱情的见证，是她的尊敬。

新的女主人搬入男人的家，无论如何要他换过一张床，她不要睡在他曾经和其他女人有过肉体欢愉的地方，她以为，那是男人对她的尊重。

女人的爱与恨，都离不开床。

从前，她用枕头跟他嬉戏，后来，她咬着牙用枕头打他。男人走了，她飞奔到床上流泪。

女人在床上流的眼泪，比在任何一个地方多。

男人在床上的谎言，也比在任何一个地方多。

分手不要在冬天

春风吹绿了大地，春情勃发，是恋情萌芽的季节。夏日炎炎，欲火焚身，适宜热恋。秋天浪漫，最宜分手。

到了冬天，无论如何，要抓住一个男人过冬。

冬天节日最多。圣诞、新年、情人节，都最不适宜形单影只。平安夜留在家看影碟，做朋友的电灯泡，或刻意装扮，以失败者姿态走遍大小舞会碰碰运气，希望遇上如意郎君，都是叫人沮丧的事。

两个女人共度情人节，只会及无人性地巴不得对方立即消失，换个男人，喃喃细语。

冬天严寒，强壮的男人比暖炉电毯丝棉被实用。一个人久久睡不暖，两个人相拥取暖最好。

女人血气不足，即使穿上两双羊毛袜，脚掌仍旧冰冻僵硬，差不多连感觉都消失，这个时候，最好把脚掌贴在男人暖洋洋的肚子上，即时传热，感觉立即就回来了。他们通常反抗几下就会就范，不敢推开你。此际男人又比暖水袋保温。

所以，再坏的男人，在冬天里，女人也忍受他。再腐烂的感情，女人也拖延着。捱过冬天，才说再见。然后，在冬季再来前，赶快找个男人。

分手的侮辱

女人说，分手的时候，最难受的说话，不是那个男人说："我现在不爱你！"

而是："我从来没有爱过你！"

那简直是迎头痛击！原来她所付出的爱，从来都是虚付的。而他付的，不过是虚情假意。他侮辱了她的爱情。

因此，女人执著，要问提出分手的男人："你到底有没有爱过我？"

如果他点头，她凄然苦笑，因她曾在他心中重要过，她有过这种价值，也就算了。

至于男人，男人说，最难受的说话，并非她说："我已经爱上别人，他比你好！"

而是："我跟你，从来没有高潮！"

那简直是侮辱！原来他所付出的力量，从来都是虚付的，他用来表达爱情的方式，女人从来没有感受到，他徒劳无功，换来嘲笑。他没有令她快乐，她是个怨妇。

她不独侮辱了他的爱情，更侮辱了他的尊严。

在分手的时候，何必苦苦痴缠，逼对方侮辱你呢？真是！

风雨男人来

一个女人说起被男人感动的场面，已是成年往事，却依旧荡漾心灵。

那一天，她跟他轰轰烈烈吵了一场，说好分手。

第二天晚上，天文台挂起八号风球，很快便要改挂十号了。狂风暴雨，交通瘫痪，他挂念她，竟然冒险跑上街，很久很久才找到一辆计程车。她住得偏僻，下车后，要步行20分钟才到达她的家。

她打开门，看到英勇动人情深款款头发吹得象乱草堆的他，感动得说不出话来，她让他入室，他一双皮鞋灌满了雨水，走起路来吱吱作响，她无法再硬起心肠，倒在他怀里痛哭，答应嫁给他。

男人与风、雨、雷、电，从来都分不开。

他在狂风中抱紧女人，不让风把她吹走。

在风球高悬，虹招牌遥遥欲坠的危险关头，总是男人不顾一切去找女人。

在黑色暴雨警告之下，他跑去见她，想知道她是不是安全。

雷电交加之夜，他保护她。

他从风雨中来，在风雨中离去，只为见他心爱的女人一面。

远古治水的大禹，修筑堤坝的主力是男人，在无情风雨下保卫家园的，也是男人。

男人总是和风、雨一起出场，代表他们为女人承担世上一切风雨，所以女人无法不被从风雨中奔跑而来的男人感动。

男人，男人，每逢风雨交加的晚上，便是你们出发的时机了。

好男人是杀虫水

一群独居女人正在讨论好男人该像什么。

A小姐最怕蛇虫鼠蚁，尤其怕蟑螂怕得要命，我们怀疑一个男人只要拿着一只蟑螂，就可以对她为所欲为。

A说，好男人是一瓶杀虫水，保护孤单的女人，为她赶走身边一切蛇虫鼠蚁、狂蜂浪蝶。一瓶杀虫水在手，能给她安全感。

但，杀虫水毕竟是毒药。

A小姐每天回家开电视，让电视机声音陪伴着她，直至夜深。

B说，好男人是非曲直丹麦出产的那台名贵电视机。优质、高贵、外型吸引、线条优美，可能是世界上最好的电视机。每天她倦极回家，可以用手在它身上随便按一个掣，它便向她说话，为她提供资讯，尤其是新闻和时事专辑，它的学识是如此广博。而她，拿着遥控器，便可以随时遥控它。

但，好男人才不会那么容易被女人遥控！

C喜欢煮食。

C说，好男人是盐。盐能够把食物的味道刺激出来，好男人能够将女人的优点、女人的味道刺激出来。他调情也是一流的。

至于我，我喜欢睡。

好男人该是睡房，是当我倦极、当我孤单、当我沮丧的时候，都想回去的地方。

好女人是衣物柔顺剂

好女人，其实是一瓶衣物柔顺剂。

上一代，没有衣物柔顺剂。女人选择温柔婉顺，或多或少是由于传统、生活和家庭。

这一代，洗衣机有衣物柔顺剂这一格。女人选择柔顺处理，是自行挑选了温柔婉顺做武器，不能说自贬身价。

一个本来不柔顺的女人，最终选了用温柔做武器，必是受过惨痛教训，发现温柔才是不费劲却又最厉害的武器。

任何质地的男人，只要用法得宜，女人也可使之柔顺松软。

如果他是来自大自然，不受约束的羊毛，给他自由和空间，让他回复天然弹性。

如果他本来就是粗质的毛巾，不解温柔，粗心大意，则以双倍细心和忍耐代替埋怨，让他感动、内疚。日久变得柔软舒适。

如果他是人造纤维，最害怕静电粘身，请不要管束他，而是温柔地等待。有需要时，不妨加入几滴眼泪，渐渐使之顺滑妥帖。

如果他是棉质、麻质和混纺，脾气不好，容易起皱，不必跟他争执，选择在他平心静气时，才温柔地提出己见，渐渐地就会易于熨平。

当然，男人首先要是一件像样的衣物，女人才肯做衣物柔顺剂。

还是体温最好

我爱狗，但不及人的朋友爱狗之情十分之一。

她把爱犬的照片和男朋友的照片，一同放在皮夹里，不分彼此。

她的狗太老了，患上膀胱癌，医生说要人道毁灭。她哭了两天，才舍得送它去死。

她想取回爱犬的骨灰安葬，但医生说，会将几只狗一同火葬，骨灰混在一起，根本分不出那些才是它的骨灰，她唯有放弃。

为免触景伤情，她要求到我家暂住数天。我从未见过她容颜这么憔悴，身体这么虚弱，她失恋的时候，还没有这么伤心。

爱犬头七之日，她买了元宝香烛，亲手烧给泉下的它。这还不止，她将爱犬的照片放在家里，每天上香供奉。

虽然这是一生最伤心的事，但我真是忍不住想笑。她却说，她未算过分。她认识一位朋友，在爱犬死后，特地为它打一堂齐超度。

我这位朋友，对狗的感情，远胜于对人的感情，她对人冷漠，与她那头狗却是"舐犊情深"，每天大被同眠。

我为知道那是否一种悲哀，因我们无法相信人的感情，宁愿将所有爱和温柔放在一条狗身上。

世事百孔千疮，但我还是宁愿爱人，还是觉得人的体温最好。

回为我想听你的话

G不敢要最好的男人，因为要得到最好那一个，要付出很多。她宁愿要一个普普通通的男人，听她的话，随传随到。　　我只是奇怪，要选的话，为什么不选最好的？

我们追求、我们渴望、我们快乐、忧愁、我们失意、遗憾、痛苦，正因为我们不断寻找最好的。

即使旁人未必认同，至少我认为他是最好的。如果我倾尽了我的爱、我的热情和希望，我还是得不到最好的，我才会放弃。

为什么打从开始就只望得到七十分而不是一百分？

G说："不是每个人都愿意付出这个代价的。只要你看看那些终日为爱情奔波的女人那副不似人形的样子，任谁都会怕！"

但知否她们爱过？得过最好的，好过从未见过什么是最好，这方面，我是很固执的。

我希望当我所爱的人问我："你为什么爱我？"

我可以答："因为你是最好的！"

而不是说："因为你不错。"

当你问我，我为什么选择他，我能够说："因为我想听你的话呀！"

而不是说："因为你听话！"

鸡和鸭的爱情

夜店里（注：夜店——夜生活的店辅，只在晚上营业。不一定是坏的），无意中听到一只鸡和一只鸭的对话。

鸭埋怨同行抢烂市，三、五千元也肯跟客出街，遇上靓女，还不收钱呢！又说："爹地"并不锡他（注：不疼他），好的客都轮不到自己。

鸡教他如何讨好"爹地"。

鸡要介绍一个寂寞的富婆给鸭，鸭连声多谢，鸡问鸭是否介意富婆年老了一点，鸭笑说，老旧骗风呢！

原来鸭才廿二岁。鸡问他打算做到什么时候。

鸭说："储足了钱，也想找个自己喜欢的人。"

鸡说："我找到自己喜欢的人，不是一样要做？是想赚点钱给他做生意呀！"

在赌场干活的人，尚且知道十赌九骗。渐渐，也不肯在倾家荡产。

偏偏这鸡和鸭，操着耻笑爱情，违背爱情的职业，却期待爱情、相信爱情。当遇到喜欢的人，他们或许更比常人倾尽所有。原来，我们越是没有的，我们越去追求。

记录保持者

一个其貌不扬，生活潦倒的男人，最引以为傲的一件事，是有两个女人曾为他轻生。

当妻子问他为什么不肯离开情人，他无奈地说："她为我割脉！"

妻子冷笑道："我也可以！"

然后她为他割脉。

原来这个男人用以衡量自己魅力的方法，是有多少女人为他轻生。他有两个！许多人连一个也没有！这是他的成就，是一项纪录。而他是纪录保持者，焉能不愿盼自豪？

其实一哭、二闹、三上吊，尤其上吊所以奏效，不是令男人心痛，而是令他们的大男人主义澎湃。他们心里想，她一定是爱我得好厉害，好紧要，没有我，她就会死！

我只是想像，如果我是当值医生，看见一个手腕淌血、痛苦呻吟的女子被推到我面前，当我问她为谁轻生，她提起娇弱的手指，满足地指指外面。然后我看见一个其貌不扬，一无是处的男人，交叉双手，倚在门边，憔悴但难掩骄傲的神色，沮丧又禁不住沾沾自喜的神态，我会喷饭！

要女人为你轻生，也该看你配不配！

今晚不要走

有些男人，本来享受着快乐的独居生活。结识了新的女朋友后，两人打得火热，他常常求她留宿。 "今晚不要走！"他对她说。

终于有一夜，她留宿之后，决定留下来。做为男人，无论如何不好意思说不。

首先，她要求他腾空部分衣框让她放置自己的衣服，谁料她带来的衣服越来越多，霸占了所有衣框，只剩下两个抽屉给他。

接着，她把内衣挂在浴室内，男人每早要对着一个胸罩如厕。当你享受着如厕的快乐时，她不断催促你快点完成，甚至突然推门进来。她还会责备你如厕时看报纸不卫生。她会把你的刮须刀拿去剃脚毛。

当你一丝不挂在家里走动，她会尖叫，说你太难看。你告诉她，你一向如此，她命令你以后不准这样。

她的朋友开始打电话到你的家找她。最恐怖的，是她的母亲也打来这里。

她开始审阅你的文件、信用卡月结单和旧照片。她指着与你合照的女人，问你她是谁？然后哭哭闹闹。

大家吵架，她不准你入睡房。你激怒她，她叫你走。但这个家，本来是你的。从此鹊巢鸠占。

不要埋怨女人，都怪男人自己不好，你们好色又短视，是男人首先说："今晚不要走！"

困着我

许多年前，因为赶剧本，四个编剧被老板困在一间酒店房间里，三日两夜。天天从早到晚不停写剧本，酒店内的中、西餐厅、咖啡室、房间服务，我们都试过。到第二天晚上，大家都受不住了，连呼吸都觉得困难。

离开酒店的那个清晨，简直是解脱。我告诉自己，千万不能犯法，犯法就要受困。我绝对不能再受困，即使困在一流的酒店内也受不住。

去年，又有导演问我，可不可以抽几天时间到澳门找间酒店度桥（注：构思故事情节，剧情等）。我几乎是哀求说："不！我不能受困！"

所以，虽然会爱得疯，人也没有理性，但杀夫、杀情敌这种事，我绝不会做，因怕受困牢内。

我宁愿做个赤脚走路的孩子。

在我心中，自尊与自由，尤在爱情之上。如果你觉得毫无自尊，委曲求存，为什么还要爱他？

如果你所爱的人，要整天监视你、控制你、跟住你，如何受得了？

如果他认为，这是因为他太爱你。

请告诉他，爱不是这样！

爱是在我浪荡之后，最想回去的地方。

爱是在我自由自在的时候，心里最牵挂的人。

爱是他放手，他从容，人却不肯远走天涯，甘愿受困。

理你理不理不理你

我最没有可能做的工作是物理学家。

我完全不明白关于物理的一切。那时上物理课，我把做实验时烧熔了的喉贴在，同学的屁股上，她跑去吃午饭，还没有发现！那是物理课带给我最快乐的回忆。

还有教物理的老师。我们都是女生，大部分是科学傻瓜。上课的时候，通常是他一个人自说自话。

如果我测验得四十分，他说这次四十分算及格。我每下愈况，拿了二十分，他说这次题目很难，二十分算及格。

所以，我是物理课完全及格的物理盲。

这因为我是个蛮不讲理的人。

我被人骂得最多的话，不是："你变态！时常骂男人！"

而是："你这个人蛮不讲理！"

对不起！道理不是对最爱的人说的。

男人不必捉着女朋友，高呼："你听我解释！"

因为我们会说："不听！不听！"

如果我原谅了你，不是因为我听了你的解释，而是因为我仍爱你，被你急于向我解释的样子感动了！

你是如此着急向我剖白。

至于内容，根本听不入耳。理你理不理不理你。……爱是蛮不讲理的。

良辰美景虚设

最寂寞的事是良辰美景虚设。

刻意打扮、患得患失，为约会准备好，他却不来了。华衣美服，这一晚的风情，要给谁看？

《俏郎君》有一场戏（注：台译"往日情怀"），劳勃瑞福告诉芭芭拉史翠珊，他要来她家借宿，她心如鹿撞，立即放下工作，跑去洗发，修甲，去市场买牛扒和酒，奔跑回家，劳勃瑞福却要走了，她大失方寸，竟怪责他："为什么要走？我有牛扒、牛扒、牛扒。"

真是仪态尽失，心事都一下子给人看穿，只是不想辜负良辰美景。

女人心事细如尘，男人却不。男人总是不明白，女人为什么会忽然那么想见他，甚至走到他的家附近等他，因为她刚刚汤了一个自己很满意的发型，自觉漂亮了很多，或者穿了一套很漂亮的衣服，好想立即让他看看。

但男人总是想不到她有这种用心，即使急急走出来见她，也不会发觉她有什么改变。女人唯有主动说："看看我今天有什么不同。"

男人瞧瞧她，说："没有什么不同。"女人宁愿给粗心大意的男人气坏，也胜过锦衣夜行，寂寞地一个人坐地铁回家，辜负了这般良辰美景。

在生日那一天，蛋糕都预备好，他却说不能来，他在另一个女人身边。

一个女人爱上这样一个男人，注定许多良辰美景都要虚设。

每年一度燕归来

日本配音片集伴我度过寂寞的童年，也是我的德育老师，《青春火花》鼓励我要积极奋斗，《绿水英雄》启示我仁者无敌，但首次领会爱情，是看《柔道女金刚》。

《柔》剧是一部古装武侠励志剧，女主角的父亲是柔道一派宗师，当年与一离经判道、虚幻莫测的柔道高手决斗惨败，饮恨而终。小孤女矢志为父报血海深仇，放弃娇弱幸福的女儿家生活，苦练柔道。

成年后，她每年一次，挟著父亲的灵牌去找大仇人决斗，但每一次，她都输给他。

她访寻名师，誓要打败他，她的柔术，早已是一人之下，万人之上。

十数年后，刀子怀着无比信心挑战他。这一次，她终于把他打败。她倒地痛哭，仇人含笑奄奄一息，刚才是他让了她一招。

原来，不是她打败仇人，而是仇人爱上了她。

十多年来，每年一度燕归来，渐渐成情意思念，她只有仇恨，他却演变成爱意，愁肠百结，凄苦自虐，她永不可取胜，他唯含笑死在她手下。

当然，这是日本大男人主义的体现，女人永不可能胜过男人，除非男人让她。但当年小小心灵，早明白爱是煎熬，从来凄苦。

今天再回味，依旧感受至深，恨一个人，不容易；爱一个人，也太艰苦。情是世上伤人至深的武功。

男人的道德观

男人的道德观，大概要比女人薄弱得多。同时拥有几个女人的男人，始终比同时拥有几个男人的女人多。 我有一个朋友，就同时拥有太太、情妇、女朋友，并且经常嫖妓。在他和旁人眼中，都没有不道德的感觉。

也许在男人的道德观里，嫖妓不算不道德，嫖妓之后，不肯会钱的，才算不道德。

男人偷人老婆是情难自禁，至情至性。自己老婆被人偷则是奸夫淫妇，罪该万死。

男人好色是风流偶傥，是由于他们的生理机造。女人而好色却是千古罪人，生理机造一定的大有问题。

有一夜情的男人浪漫，有一夜情的女人却淫贱。同是在情场翻滚多年，男人是情场浪子，女人则是人尽可夫。

男人恋爱的次数越多，越表示他曾经沧海，可托终身。女人恋爱多过三次，则是残花败柳。

不过男人的道德观也会随着时间改变。譬如当他做了别人的父亲，他就立即成了道德典范。认为约会他女儿的男人都是想哄她上床。男人忘了，他们也曾哄过别人的女儿。

男人虽然道德观比较薄弱，却无胆振臂一呼。最后敢于行破道德枷锁的人，往往是女人。

男人的健忘症

男人在有需要的时候，比女人更健忘。

有一种男人，经常忘记照镜子，或者是照过镜子之后，很快就把自己的本来面目忘得一干二净。

即使脸肉横生、满口金牙，他们仍然有勇气去追求漂亮的女人，仍然够死缠烂打。他们忘了自己的面貌，女人却忘不了。

男人会忘记照镜子，忘记自己的高矮学历财富内涵职位，忘记女朋友生日和拍拖纪念日，甚至忘记自己已经结婚。

所以婚后他们仍然去追求别的女人。一旦他的身份被女朋友揭穿，他会伤感地说："噢！我是被逼的！"

到于他当初为什么忘记了，他会说："因为我怕失去你！"或者说："因为太痛苦，所以我不想记起！"

于是他又过关了。

在这当时候，他会忘记了自己地址，因为他想在新相识的女人家中度一宿。偶而，他会忘了自己不过喝了两杯，借醉行凶。不过，男人最擅长，还是忘记他对女人的承诺。"我有这样说过吗？"他们茫然说。

男人的诺言

对于承诺，男人非常慷慨。男人一生向女人所许下的承诺，多不胜数，几乎连他自己都忘记。男人知道，女人的爱情，离不开承诺，没有承诺，就是没有将来。男人若不向她许下承诺，女人难免想到这个男人只求片刻欢愉。　　　男人的承诺，无论说得多么扣人心弦，荡气回肠，内容都离不开对女人一生一世的保障。对着相爱的女人，他说："无论将来变成怎样，我答应你，我会一直照顾你、保护你、爱你！"

对着那个不爱他，他却深爱着的女人，男人抱着受伤的心，凄然说："无论将来变成怎样，无论你跟谁在一起，我会一直照顾你、保护你，为你做会何事。如果有人欺负你，人绝不会放过他！"

因为得不到，男人的承诺便更震撼、更伟大，他们知道，他们需要实践这些承诺的机会很微。稍有良心的女人都明白，不爱一个男人，无要求他履行承诺。所以，一个失败者的承诺，只是要令女人心酸，期望她被感动，回心转意，或者记挂着他。时日渐远，女人没有忘记这个可怜的男人的承诺，男人本身，却忘记了。

渐渐，聪明的女人，不再相信承诺，聪明的男人，也懂得如何许下诺言。他们对女人的诺言是："我从来不会对任何一个女人许下诺言。"

他们的女人不但没有因此发怒，反而觉得这个男人坦白、可爱、有型，不落俗。因为他从来不向任何一个女人许可证下诺言，他不保证将来，女人于是更用心爱他，希望男人单单为她一个人而改变，终于肯为她许下一个诺言。

男人的爱情，也离不开承诺。

男人的情话

粤语长片里，珠胎暗结的嘉玲哭着说："都怪我听了他的甜言蜜语。"

可是，世上有不说甜言蜜语的男人吗？

有一种男人，在情场打滚多年，他们讲情话的本事，早已登峰造极。他们对新相识的女人说："我一生中遇过无数女人，可是从来没有这么爱一个人。"女人感动得热泪盈眶。

一年后，男人却对同一个女人说："我从未遇过一个像你这么烦的女人。"

如果男人对你说："我不会再爱上别的女人。"

你应该明白他的意思是"暂时"、"目前"、"此刻"，或者他不会爱上别的女人。

男人说："我一生中只爱过一个女人。"

那是指他的母亲。

男人说："我要照顾你一世。"结果是你一世照顾他的起居饮食、照顾他的家人，孩子。

男人的情话都离不开出盟海誓，可是男人最擅长忘掉自己的承诺。

只有被爱情冲昏了的女人才相信情话，可是，世上有不曾被爱冲昏的女人吗？

所以，男人的情话，永远有效。

男人的行骗罪

法律上指出，一个人有一意图，透过言语或行为，欺骗他人，导致他人有损失，而自己得益，足以行成行骗罪。

那么，男人犯得最多的，可能是行骗罪。

男人为了把一个女人哄上床（意图），说尽甜言蜜语（言语），并极力追求她（行为），和她上床之后，便向她提出分手。

又或者，上床的时候，答应过她，不会再跟其他女人上床，后来，却不幸给她撞破他和另一个女人上床。这种行为，算不算行骗？

男人认为这种行为不算行骗，因为一男一女发生关系，不能只说男人得益，可能是女人得益，也可能是大家都得益。况且，所谓损失，是指财产上的损失，除非女人说，身体是她的财产。但女人为什么不可以认为，身体是她的财产？青春、学识、智慧，都是她的财产。因此，不能说男人这种行为，不算行骗。

男人在追求一个女人的时候，终是把缺点隐藏，使女人以为他是个好男人，因此爱上他。不久之后，他却露出本来面目和一大堆难以容忍的缺点。

他得到女人（得益），女人爱错了人（损失），算不算行骗？

至于山盟海誓，令女人死心塌地爱他，后来却食言，伤害了女人的感情（损失），不是行骗又是什么？

男人好欺负

总有一些人，外表和性格完全两样。新相识的一位女孩子，外表非常柔弱，说话阴声细气，几乎听不到，你会很想去保卫她，生怕她站立不稳。

其实她是个很坚强，很有主见的女子，虽然爱看爱情小说，却是个相当冷漠的人。爱她的男人都痛苦，因为她爱自己比爱别人多。他们以为可以保护她，她原来不需要保护。她不凝缠、不依赖、不娇嗲，愿望来世做男人。可是她的个表往往把人骗倒，连我这么凶恶的女子，都想保护她。

有一个男人，今天刚刚认识她，感觉和我相同，觉得她很柔弱，我说："是啊！男人会想保护她。"

谁知道他说："不！她这么柔弱，该欺负她！"

我从来没想过欺负一个女人！欺负一人女人，有什么出息？欺负一个男人，才有出息。要选一个性别来欺负，我一定选男人。

欺负女人和欺负男人不同。欺负一个女人，最终目的，是要令她流泪。欺负一个男人，是要他甘心情愿受委屈。

三更半夜，无论如何要他买一碗面来给我吃。心情不好，无故发脾气，要他呵护迁就，本来想往东面，还是陪我往西面走。一言不合，不妨捶他

胸口几下。尽量蛮不讲理，指鹿为马，还要恶人先告状，梨花带雨说："哼！你总是欺负我！"

欺负男人而欺负得恰到好处，是一种情趣。

男人和女人的感动

我问两个曾经沧海的男人，他们所爱的女人，做过一些什么事情令他们感动。两个人竟然良久说不出来。

一个模糊地说："有是有的，忘了啊！"

另一个傻笑："一时之间想不起来了啊！"

怎忘得了呢？你所爱的人，总回做过一件事，写过一封信、几个字、说过一句话，甚至只是一个眼神、一个动作，令你双唇抖颤、心头一酸，眼泪都涌出来了。

我的女朋友们都各自抱着几许感动时刻。

有人为男友在寒夜送来暖炉而流泪。有人只是无法忘怀男人专注地为她搬动一部电视机的背影。

这些感动温暖着女人的爱情。

也许男人不注重刹那光辉，他们注重牺牲。

他们的感动可能由于一个女人为他牺牲十年青春、牺牲自己的事业和前程。或者在他背后一直支持他。

他们的感动是日积月累，化为情意。

女人的感动注重情面，男人的感动注重故事。

男人三十五

男人二十五岁之前，你问他女人的样貌重要，还是身材重要，他答：

"样貌重要！身材好不好，我才不在乎。"

三十五岁之后，你问他同样的问题，他会答："身材非常重要。"

男人二十五岁之前喜欢跟比他年长或差不多年纪的女人谈恋爱。三十五岁之后，他喜欢年轻女子，越年轻越好。

男人二十五岁之前，认为自己可以凭藉个人魅力以外，还需要事业。有事业，才有一切。

男人二十五岁之前，认为两个人之间，最重要的，是爱。当他不再爱一个女人，他便会离开。三十五岁之后，男人认为最重要的，除了爱，还有义。即使他不再爱一个女人，他仍然会留下。

男人二十五岁以前，看不起虚荣的女人。三十岁以后，认为女人原来都有不同程度的虚荣。

男人二十五岁以前，认为大地在我脚下。三十五岁以后，始发现人生不如意事十常八九，人总有力不从心的时候。

男人二十五岁以前，从没有担心过会秃头，三十五岁以后，开始有些担心。

男人二十五岁以前，对自己的身体非常满意。三十岁以后，有点无可奈何。

男人二十五岁之前，声明婚后不要孩子。三十岁以后，开始渴望有一个小生命，长得像他，体内流着他的血液，延续他的精神和生命。

男人有两个梦想

男人说，最好的妻子是永远在家等待丈夫回去的妻子。　　即使男人天天在外风花雪月，只要他感到疲累，他仍然可以回家去，他的妻子不会埋怨他。

当他爱上另一个女子，忘记了家，他的妻子不会去抓他回家，也不会离家出走，而会默默等他回来，希望他回心转意。

当他的爱情完了，当那个女子离开他，他仍然可以回到妻子身旁，而不会感到难为，也无须支解释什么。

至于最微末的要求，是每当他在外面挣扎了一天之后，回到家里，有一个女人在等他，而她最好是哑的。

男人又说，最好的情妇，是在不适当的时候来，在适当的时候走。

因为她在不适当的时候来了，才有遗憾。

时不我予，势所不容，却有一个令他倾心的女子出现，令他敢于忘却世俗，忘却道德，忘却家，疯狂地燃烧他的爱和身体。

当火花最灿烂的时候，情人却悄然离开，不留给他任何麻烦，令他永远怀念她。我说，最好的丈夫，是让妻子享尽荣华富贵的丈夫。最好的情人是随传随到，而且每天令我有惊喜。

男人说："你做梦！"

他们何尝不是做着春秋大梦！

男人早餐说的话

女人也许永远无法明白，即使明白，也许永远不想接受，便是男人钟情于一个女人的同时，仍可以和其他女人有性关系。

我的男性朋友们自辩说，那是一种发自男人内心的盲动。

遇上喜欢的女人，他们第一时间想到占有。无可奈何地，大部分女人都不会被即时占有，所以他们要去追求，因此，男人若在上床前对你说："我爱你！"

完全不要相信！

如果他在上床后才说，还可以相信。如果他在吃早餐的时候说，那么，他是认真的。

我的男性朋友们说，在那个时候，他们什么都能说出口。相反，在早餐时候"我爱你"的男人，一定是疯了！我不禁伤悲，一切不过是肉欲，男人太容易被引诱了！幸好，他们安慰我，男人仍会深深爱一个女人，仍渴望天长地久，不希望令所爱的女人不快乐。

那是什么令男人压抑原始的行动，忠心不越轨？他们说，是道德。原来束缚男人的，却是道德。是女人的爱情令女人忠心，却不是男人的爱情令男人忠心。令男人忠心的，不是爱，而是义。因此，若想留住一个男人，不但要爱他，还要令他觉得有负于你。

你给我多少分

一位世伯问他的女儿："你给爸爸多少分数？" 她答："八十分。"

世伯十分欢喜，他一直以为他顶多只能得六十五分，所以不敢问，忍不住问了知道答案，喜出望外。

女人问男人："做为一个太太，你给多少分？"

男人说："给你九十八分。"

男人问女人："做为男朋友，你给我多少分？"

女人说："九十九分。"

对于分数，我们不会十分慷慨，给对方满分。

并非不满意他，只是，人并没有十全十美，我给他满分，他反而不相信，认为我哄他而已。但我还有期望，请继续努力。

但，我从来没有问过一个人，你给我多少分？只怕不及格，又怕得不到满分，耿耿于怀，逼他把余下两分都给我，变成假的。

如果他给我满分，我才不相信，真是自寻烦恼！

爱和感情，都太复杂了，分数不足以显示成败。

你现在不必问

对于科学、宇宙、天文、地理，男人比女人更爱寻根究底。问得最多为什么的，往往是男人。至于男女感情、两性关系，女人的求知欲却往往比男人强得多。问得最多为什么的，是女人。

女人会问：

"为什么喜欢我？"

"为什么不爱我？"

"为什么这样对我？"

天下女人的"为什么"加起来，何止十万个？简直可以出几本书。

一个男人和女朋友分手时说："你的问题是有太多问题要问。"

女人不明白，问问题有什么错？但男人为此失去耐性，他们一生要不断应付女人的问题，诸如：

"你昨夜去了哪里？跟谁在一起？"

"你的钱去了哪里？"

"你是不是有别的女人？"

男人说，已发生的事，何必再问？未发生的事，我怎么回答你？他们不喜欢被审问，也不想回答假设问题。"梦醒时分"里有一句歌词："有些事你现在不必问，有些人你永远不必等。"是一个曾经沧海的女人的心里话。

每个女人都经历过寻根究底的阶段。学习不再问问题，非为讨好男人，而是不想听到令自己伤心的答案。有些事的确不必问，有些答案，日后知道更好，也许永远不知道更好。

女人爱才可怜

女人最可贵的地方，是爱才。　　女人爱才，非常直接。他文采风流，才高八斗。他的尽，落笔非比寻常。他的电影，自成一格。他写的歌词，令人欢息。他的音乐，是天籁。只要男人拥有其中一种才华，足以使女人为他倾心。

男人的才情，令女人目眩，即使他长得像爱因斯坦或武大郎，女人仍心甘情愿爱他，并且在他怀才不遇、生活潦倒的时候，在经济上支持他。有财的男人很多，有才的男人太少，女人都想拥有一个。

女人最可悯的地方，也是爱才。

要知道所谓才子，其实是生性顽劣的天才儿童。他们非常难教，情绪多变，生活上却低能。女人爱上一个才子，要比爱上一个普通人付出更大努力。天才儿童未曾早逝，女人已经早衰。

才子越来越放众，也是女人有意从容的。女人都有一种误解，一个才子果不够行性、不够多情、不够疯狂、不够多变、不够花心、不够无聊，便是他的才气不够。于是，女人在埋怨他的同时，也欣赏他，因为才子不应该是正常人。

但，女人终于也会清醒。她的才子，一直怀才不遇。她供他，他却不停爱上其他女人。她伤心欲绝，黯然离去。

磨烛才情的，是生活。磨烛一个女人爱才的心志，也是生活。

女人不会走失

几个男人，说起初恋时的惨痛经历，不约而同表示曾被女朋友丢在街上。

他不知怎样得罪了她，她一声不响，一走了之。他却以为她还在身边，走了一条街，自言自语，猛然回头，方发现不见了她。初时他还以为跟她失散了，十分徘徨，在闹市里寻找她三句钟，依旧芳踪杳然，身心俱疲，只管发个电话到她的家，她交易会然接电话！

几个听故事的女人也不约而同表示曾经一怒之下，把男朋友丢在街上。

她和他并肩而行，一个妖艳的女子走过，他竟然目不转睛地看着好。年少气盛的女孩子怎受得了？不辞而别。

熙来攘去往，他竟自顾自走在前头，专心研究橱窗内的音响器材，却不耐烦陪她看时装，她不甘受冷落，拂袖而去。

一言不合，她觉得委屈，他却不当一回事，继续前进，继续跟她说话，她意难平，截一部计程车回家，好让他找不到她，焦急一场。

女人一走了之，总是有原因，只有粗心大意的男人才会以为失散了。

不辞而别，也是一种角力。

女人的矛盾

你宁愿你所爱的男人虚伪但令你快乐，还是老实却令你伤心呢？

当一个男人为另一个女子、另一段爱情抛弃家庭，其他男人都说他傻。

他们说："有婚外情也不用不打自招，向老婆剖白一切呀！"

做为男人，应该明白婚姻以外的性与情，永非天长地久，焉能感情用事？

外面的一切原来都是镜花水月，可怜的男人最终会一无所有。至于另一些男人，他们不断有婚外情，却能把老婆治得妥妥贴贴，令她快乐，令她以为自己的丈夫是世上最坚贞的男人，媲美唐三藏。其他男人一致积许他聪明又理智。他们振振有词说："欺骗一个女人十年，可以令她快乐十年，终好过重重地伤害她一次，令她痛苦十年！"

只是，左右逢源的男人，若非虚伪，怎分得出？

敢于剖明真情的男人，不忍心欺骗女人，也不想欺骗自己，宁愿老实。

要是在从前，我必定义无反顾选择老实却令我伤心的男人，因为我讨厌谎言。

当年岁渐长多，却害怕承受不起真相。这也许是女人的矛盾。

女人和女人之间

女人和女人之间的姐妹情或许不及男人的兄弟情来得义薄云天、肝胆相照、歃血为盟，却较长久。

男人和男人的友情可能是抛头颅、撒热血。

他们为兄弟做的事，包括：

他比自己不济嘛，找份好工作安置他、提拔他。

有人看不起他，便不顾一切挥拳打之。

在他无能为力时，照顾他妻儿。

若一朝决裂至无可挽救的地步，他们比较决绝，从此各走各路。

但女人的姐妹之情并非押在一个义字之上。女人之情是心声互诉，寂寞相伴。小时候，两个男孩子不会相约一起去洗手间，女孩子却会。

女人的友情是由一起读书、唱歌、逛街、扮靓开始，进而吐心事，谈男人，同悲同喜。

不过，即使十年友情，一言不合也足以令两个人翻脸。

但只要其中一方耐不住寂寞，她们还是会和好如初的，因为女人有太多心事要说给女人听。

所以，男人不用奇怪为什么你的女朋友不断诉说姐妹的不是，却不断和她煲电话粥。

女人先走下床

我们的爱情都将成为历史阵迹，未曾苍老，已变成老掉大牙的故事。

原来十六岁的男女，以湿吻交谊。廿岁到廿五岁的男女，追着一外之欢。

不是男人先走下床，对女人说："我会打电话给你。"

而是女人先走下床，对男人说："等我电话，不用找我，我会找。"

不是男人遗憾："我不能给你什么。"

是女人扬手说："噢！不会有结果的。"

盟约太老，是差劲的笑话，不如一起吃一顿饭还实际。爱情没有内伤，只有皮外伤，用刀背在手上刮一道血痕，便是生死相许，各有无数血痕，行走江湖。

而我们这一代，廿五岁到三十五岁，依旧被承诺感动，依旧为无法信守承诺而忧伤。离合不是平常事，是无可奈何的事，每一次，都是创伤，都不想有下一次。而我们追求什么？深度还是安全？爱还是道义？

片刻的欢愉，绝不是在床上，而是在床外。那个寒冬，我一直想买一张被子，拖拖延延，没有卖成。一天，跟他狠狠地吵了一场，我以为我们不会再见了，回到家里，却看见我的床被一张新的被子牢牢包裹着，而我在床前流泪，我再也离不开这个人了。

我也会说没有结果，每一次恋爱，从未想过结婚，人世间大部分的事都没有结果，何必让希望折磨自己？没有结果，是遗憾，而不是一夕之欢的旗帜。

二十五岁到三十五岁，我们如此年轻，我们的故事却被长江后浪推前，早就老掉大牙。

亲手送走妻子

很多年前，一个男人从英国回来，认识了一个预科毕业的女孩子，她长得清秀美丽，男人一见倾心，放弃了其他女子，娶她为妻。

婚后，他觉得一个年轻女子不应该在家里埋没她的青春，她应该出去看看世界。他用心栽培她，他知道什么工作最适合她，而又最有前途。

数年后，妻子不负他所望，工作颇有出色。他想她更上层楼，把她引荐到一间实力雄厚的大机构，公司股东之一是他的朋友。

后来，他的妻子却爱上他这位朋友，要跟他离婚。妻子走后，他跟三岁的女儿相依为命。女人长得很像一位电视艺人，女儿常常指著电视叫："妈妈！妈妈！"

一天晚上，他无法回家陪伴女儿，打电话给我，请我支看看她。我到了他的家，看见小女孩寂寞地瑟缩在沙发后面。这一幕我永远不会忘记，孩子太可怜。

失意的男人仍然常对我说："我很会栽培我的妻子。"

他最引以为傲的，是他毫不自私，把一个女人由一个普通预科毕业生，栽培成为高级行政人员。但，女人固然不须伟大，男从又何必太伟大呢？

他栽培她，期望她出色，却因此使她更有条件选择一个比自己丈夫出色的男人。

还是自私一点好。

仍为眼泪心乱

一个女人说，跟他热恋的时候，她在电话里哭，他立即抛下所有工作去安慰她。其实她不过为一些琐碎的事情感触落泪，想不到他听见她的哭声却心痛得紧要。

他来了，虽然他只懂得说："不要这样！不要这样！"

她觉得幸福，他为她的眼泪如此焦急。

他和一起三年了，偶而她又在电话里哭，这次他并没有抛下工作，飞机过来，却说："芝麻绿豆小事，有什么值得哭？"

最令她生气的，是他竟然说："如果哭便可以解决问题，我都想哭！"

这分明是晦气话！她觉得男人真是善忘，他忘了他曾经多么着急她的眼泪。

也许这与善忘无关，这是本性。男人不须急着。

这和女人在热恋时细心打扮，感情稳定以后不再刻意打扮的心境一样。

但是，无论多少年过去了，如果我仍细意为每一个约会打扮，我热切渴望他仍会为我的眼泪心乱、心痛、着急，生怕全世界都来欺负我，或者是因为他待我不够好。

那个时候，我会觉得好幸福。

日本餐厅之梦

如果到了一天，我不用再为美好生活而工作，我想拥有一间日本餐厅。

不要开在大酒店或商场里，那些地方太冷漠。兰桂坊或阿士厘道会是不错的选择。

最好能开在一条斜路的尽头，沿路灯火璀灿，人们拾级而上或走到尽头，才发现原来还有一间店子，那是意外惊喜。

当夜深人静，店子打烊，送走最后一批顾客之后，我关上门，独个儿步下斜路。如果是夏天的晚上，会有凉风。到了秋天，路上铺满黄叶。

若是在冬天，我会戴着冷帽和手套，穿着厚重的衣服，看天地的风。

店里供应一等一的生鱼精彩的鸟烧，下酒的枝豆和鱼干，还有各种清酒和吟酿。

侍应最好年轻一点，青春令人开怀。懂得吃和喜欢吃的人，可以来此享受快乐时光，食家也尽管来挑战。

我会留一角落，给寂寞、失意、不想回家、不想孤独的朋友，任他们吃喝，听他们说故事，然后我把故事写成小说赚钱，当他们付帐。

酒令人扰伤。

食物令人快乐，至少可以暂且忘却忧伤。

等我吧，朋友，到我不再耐烦为生活而工作，我会的。

如果这是情诗

如果你是衣柜里的一件衣服，我愿意是一支粉红色布料衣架，天天挂住你。

如果你是一张欧式大床，我愿意是一张来自巴黎、质料一流的床罩，用我最好的爱，把你牢牢包裹着。

如果你是一张原木书柜，我愿意是那盏别致的台灯，夜夜照亮你，陪你工作到夜深。

如果你是站在床头的那个柜，我愿意是抽屉，没有你，也就没有我。

如果你是一张典雅的饭桌，我希望是一张高价台布。我和你，是天生一对。

如果你是一个黑色鞋柜，我希望是一双白色的鞋子，我是你唯一的色彩。

如果你是柚木地板，我多么希望，我是水晶地蜡，令你容光焕发！

如果你是浴室里那个十四K镀金肥皂盛器，我一定要成为那件来自意大利，身价五百元的名牌洗脸皂。我要安躺在你的怀里，为你锦上添花。

如果你是那支弧形弹性牙刷，我要成为牙膏，粘着你。

如果你是那个精致的污衣篮，我才不介意做一件肮脏的衣服，向你投怀送抱！

如果你以为是一首情诗，你错了！事实上我正尝试用温馨的手法推销家具、家庭用品和浴室用品呢！

三只垂死的天鹅

男人三十，心情复杂。

我认识三十岁的男人，未婚，都与女朋友相恋五年以上，其一更达十年。这三个人，天天不愿回家，下班后看电影、吃饭、饮酒、唱卡拉ＯＫ，逛街买衫，甚至在街头，不到想睡也不肯回去，明天又如是。

不是因为寂寞，他们是垂死的天鹅。

女朋友不断提示他们，是结婚时候了。每逢节日回到家里吃饭，父母总是催促他们结婚。偶然被迫上未来岳父岳母家吃饭，更被审问什么时候才肯娶他们的女儿，拖得太久，就把他们当成仇人看待。

他们三十，他们的女朋友已经二十八、九、三十，朋友同学辈一个个都嫁出去了。

面对吊儿郎当的男朋友，女人悲从中来，什么时候才轮到我？泪水感动不了他们，女人气上心头，问他们："要结婚，还是要分手？"

于是三十岁的男人是待杀的猪，又是挣扎着不肯入口的马。

他们唯有在被一个女人绑之前尽情游乐。因为婚后，他们不能再在街上流浪，不能与这所到就出去喝酒，更遑论半夜三更才回家。因为有家，就有责任。

三个三十岁的男人说，今天晚上再疲累也不愿回家，灯红酒绿的自由世界越来越凄美，是末世纪风情。其中一个明年要结婚了，另外两个也"时日无多"。

垂死的天鹅，与时间竞赛，多看一眼繁华世界。

失意比失恋严重

某当日与闺中密友 E 同时处于感情灰暗的日子。E 发现男朋友不再爱她，提议一起自杀。那时，某不想。

过不多久，轮到某与男朋友分手，某告诉 E，现在可以一起自杀。那时轮到 E 不想，E 说："他最近待我很好，我暂时不想死。"

由于彼此伤心绝望的时刻一直不配合，一队知己始终没有死去，今天细说从前，都当成笑话。如果再失恋，也不会寻死，只是当时年轻，太任性，以为可以不负责任地死去。

女人连寻死这回事都可以相约一起去做，相对地，男人就孤单的多。一个三十四岁和一个三十岁的男人，最近不约而同地失恋。

我从未想过男人失恋会悲凉到这个境地。他们都说，想自杀。其中一个说：年轻时失恋，以为那时人生必须经历的挫败，输得起。以三十三岁高龄才失恋，却苍茫死寂，非常无助。

他强调，他不是失恋，是失意。

是的，失意比失恋严重。失恋是一段爱情遭到否定，失意却是否定生命和现状，失却平生意。

我忽然理解，男人结婚，是因为疲倦，三十三岁的男人太疲倦，宁愿结婚也不愿失恋。

女人也是男人的机遇，尤其在他不得意的时候。

他不禁怀疑，他失去她，是否因为他不得意。因此，他分外失意。

十大酷刑

一、男朋友或丈夫变心。

二、跟美女做朋友。跟她做朋友，必是时常跟他一同出现，旁人的目光都落在她身上，荣耀与攒美都属于她。她男人都先找她。做她的朋友，自信心扫地，何苦来哉？

三、跟身材出众的女性朋友一起到沙滩。道理与跟美女做朋友相同。与她一同躺下淋日光浴，好色男人只会踏在你身上跟她搭讪。万一两人同时遇溺，你获救的机会一定比她低。

四、被自命不凡的男人追求。他们是推销员，见面不久便急急推销自己的财富、学历、智慧，提醒你这是你千载难逢的机会，不要自误。

五、在毫无心理准备之前，突然被对方抛弃。

六、看见喜欢的东西，没有钱买。

七、暗恋。

八、与话不投机的人共处。

九、知道他有第三者，还要强作大方。

十、碰到穿吊带裙的女人，她没有剃掉两撮浓密的腋毛。

十种遗憾

一、不是跟自己最爱的结婚。

二、找到最爱的人，却无法相处。原来相爱并非最难，相处才是最大的挑战。

三、找到喜欢的人，却已太迟。他已娶，她已嫁，或者他身边已有人。多么相爱，已是迟来的春天。

四、碰见令你动心的女人，可惜你的年纪已足以做她爷爷。

五、你正在犹豫不决，应否向他提出分手，谁知他捷足先登，先向你提出手。他永远不会知道，是你首先想到不要他！即使你告诉他，他只会冷笑，认为你是死要面子罢了。

六、爱人结婚了。

七、他离开你，但选了一个条件比你差很多的女人。输给不及自己的人，怎能不伤心？他这个选择，实在令你面子过不去。

八、他离开你选了一个条件比你高出很多的女人。宁愿他选一个条件比你差的女人好了！

九、你忍痛跟他分手，以为他会伤心很久，并且不容易找到一个爱他的女人。可是，不久之后，他却兴高采烈告诉你，他找到新女朋友，而且非常快乐。而你，却还未有新欢。

十、爱上一个人，可惜他的性别跟你相同。

十大骗局

一、爱情。来来去去，都是你骗我、我骗你。难得有你肯真心地骗你，因为他不想你伤心。更难得有人甘愿受骗，因为她不想失去你。最高境界，是互相不知道受骗。

二、精诚所至，金石为开。不！诚意不代表成功。她要是不爱你，你天天站在她家楼下，也是徒然。

三、一分耕耘，一分收获。对炒楼发达的人，完全是笑话，天方夜谭。

四、一切护肤品的效用。一夜之间，回复青春的配方？如果有，怎可能一千几百让你买得到？用了去皮膏，皮纹便会肖失？若是真的话，那位化妆小姐为什么仍有鱼尾纹？

五、一切生发水的效用。不过是绝望者被抢掠。

六、一切减肥方法。聊胜于无。

七、所有参加选美的女孩子都说："朋友从恿人参加。"及"我不在乎名次。"

八、胸部第二度发育的女明星说："我没有隆胸，我健身。"

九、支出与收入不符的女明星告诉大家："我没有被人照顾，我会投资赚钱。"

十、人生。

十四年的耽误

一个男人跟相恋十四年的女朋友分手，大家都认为他辜负了这个女人。

他可以不爱她，可以认为她不适合自己，可以发现无法与之终老，千错万错，都是在十四年后才表态。

但男人不同意。他以为他用十四年的时间去爱一个他本来不爱的女人，他用了十四年光阴尝试与之终老，最后发觉不能为力，他才放手。

他曾经付出这样的深情，他曾经放弃生命中其他女人，愿意付上十四年。女人应该明白他。

但女人不明白，女人恨他。旁人也不明白，旁人说他无情无意。

男人心里很难受，他不想再虚耗他的岁月，他及时释放她，愿望她还能找到一个爱她的人，女人却不领情。

男人说："难道男人的十四年青春不算数？难道只有女人才会衰老，男人却不会？我同样付出了十四年！女人的寿命比男人长，我们的牺牲不会比女人少。"

但，我们的社会总是以为，一段经年累月的爱情，如果惨淡收场，对女人是耽误，对男人是经历而已。

如果不打算和一个女人结婚，请不要爱她。女人的寿命比男人长，因此，她有更多时间很你。

十种快乐

一、相爱。要男人爱女人多出一点点，才算相爱。因为男人应该爱护女人，如果他会出的爱，跟女人会出的相同，就不够爱她。

二、婚姻美满。

三、在对方想跟你分手之前，你抢先向他提出分手。那么在回忆里，你从来没有被人抛弃。

四、曾经背叛你、离弃你的男人，回来哀求你重拾旧欢，你冷冷地拒绝之。有什么比失败者获得胜利更甘美？

五、嫌你花钱太厉害的男人，离开你以后，娶了一个比你花钱花得更疯狂的女人。

六、富有。一项调查证明，有钱的男女，的确比没有钱的男女快乐。既然穷人富人都会不快乐，为什么不做富人？伤心的时候，饮两万元一瓶红酒麻醉自己，总好过饮子蒸。（注：中国的土酒）

七、不劳而获。

八、提早退休。最好拿一着笔钱，四十岁退休，环游世界，太清闲的话，就找些慈善事业来搞。

九、酒逢知己。

十、搭中国民航或中华航空，安全着陆。

手牵手

我认识一个男人，他说他从来不牵着女朋友的手走路。他觉得牵着另外一个人很不方便，也没有这个必要。他有一位相恋多年的女朋友，证明有一个女人能够体谅他（或容忍他）。换了是我，我早已经离开他，我很难明白，他既然说爱我，又不是有家室，竟不肯在公家地方牵着我的手！

男人追求女人，总是千方百计，患得患失牵着她的手，一旦让他捉住了，便不肯放手。

女人喜欢一个男人，也总是希望他主动牵着她的手，这种暗示，胜过千言万语。

在静悄的夜街上，她想他牵着她的手，送她回家，临别依依，拾不得放手。

在繁忙的街上，人潮汹涌，他紧紧地拉着她的手，生怕她会走失。一旦两双手给人群撞开了，她总是焦急地寻觅他的一只大手掌。

在他驾车的时候，我希望他只用一双手控制方向盘，另外一只手和我十指紧扣。

做为男人，应该懂得只用右手驾驶汽车。

跟朋友吃饭的时候，也希望他在桌下牵着我的手。

我们形容一男一女结束情侣关系是"分手"，因此，两个人相爱，无论如何要手牵手。

最舒适的手掌，是大而厚，可以把女人的小手牢包里面，给她安全感。切忌手汗多，弄湿人家的手。也不要太粗糙，软才有温柔感觉。

守护天使

最痴的情是守护。

偶然看到《包青天》，郭槐以狸猫换太子，助西宫成为皇后，原来因为爱情。他爱西宫，所以保护她，成全她。离开皇宫之夜，他在帘外凄然对她说："我不能再照顾你了！"

这段情节，也许是编剧杜撰，却令许多妇孺觉得郭槐伟大。

元顺帝时，高丽人扑不花因为青梅竹马的爱人被招入宫做皇后，他为保护她，竟自宫入朝做太监。

钟楼驼侠加西莫多，大鼻子情圣，都一直守护他心仪的女人，至死方休。还有《天国车站》里的傻汉，在雪地里追逐他心爱的女人出嫁的花轿，杀死虐待她的男人。

守护是漫长的煎熬，他自知配不上她，或不敢示爱，或明白她另有所爱，他选择守护，躲在暗角栖息，随时奋身而出，两肋插刀。

最暧昧的守护是男人守护另一个男人，他喜欢他，但他喜欢女人。他于是作他背后男人，助他扶摇直上，忍受着他和女人的关系。

守护天使以痛苦换取快乐，他们也许从未得到过。是命运选择他们，而不是他们选择命运。

他们是在屋顶上，吹着号角，哀怨低回的天使。

桃花依旧笑春风

最受女人欢迎的男人，是懂得睇掌算命面相紫微斗数，而又不是以此为职业的男人，他们免费而准备，且随时侯教。 于是，闯荡江湖的男人，纷纷学几招观人于微，抚摸漂亮女人的手和脸，听她剖白前尘往事，几段姻缘，尽诉衷情。对自己最爱男人，她还不至于这样坦白呢！

女人自然希望每一个懂掌相术数的男人，都说她命好，且是好到令人妒忌的命。

女人最好的命，不计出身，便是嫁得好丈夫，两情相悦，他对她宠爱有加，忠心不二，且腰缠万贯。她又旺夫益子，无忧无虑。每一个要求指点迷津的女人，无为期待这种缘分。

业余江湖术士于是顺应民意，尽说好话。胖女人便说她有福气，实在貌丑便把五官分开来赞。对于一般女子，若不至于十分好命，最煞食的一招（注：一定成功，行得通的方法），便是说她命带桃花！

女人听见自己命带桃花，或生就一双桃花眼，总是乍惊还喜。

虽然命带桃花的女人，不一定是美人，但女人总是一厢情愿地相信，人们不认为我长得美丽，怎会说我命带桃花呢？正是绝如桃李。

当一个女人烦恼着："有人说我命带桃花。"她是"其辞若有憾焉，其心实喜之"桃花而不至于劫，绝对是好的。

于是，每一个命带桃花的女人，都有理由相信，大部分男人对她有好感，他若不来是不敢表白而已。每当她感情失意，还可归咎命里桃花。

若有一天，她厌烦了桃花，大抵可进行剪桃花枝的浪漫行径，或架上眼镜，封住一双桃花眼，只留给一个男人，而"桃花依旧笑春风"。

天使请离开

　　总有些女人会遇过这样一些男人——当她选择了别人，他如同中了箭伤的战士，抚着淌血的伤口，勇敢无悔地对她说："如果他待你不好，一定要告诉我！我决不会放过他。我回一直在你身边保护你。"

　　他会说："当你的泪珠快要滚下来的时候，告诉我，我会用双手接住它们。"

　　好些女人都希望自己至少有一个这样的守护天使。她不爱他，他却一生照顾她，关怀她。当她所爱的人令她伤心，她可以向他哭诉。当她快乐的时候，她忘掉他。

　　也有一些男人，认为他所锺爱的女人决不会爱上自己，于是，他从未示爱，默默做她的守护天使。

　　当别人欺负她，他立即挺身而出，跟人扭打。渐渐，旁人都知道铁原来是她的守护天使。他仍会跟另一些女人一起生活，却永不忘为她挡箭。

　　即使不太聪明的女人，也会感觉到她身旁正有守护天使。一个男人若不喜欢一个女人，才不会花时间在她身上。

　　从前，会自私地希望也有一个守护天使，渐渐，大家都是受过创伤的人了，岂会不明白，若不爱一个人，无权要求他无条件奉献，更不忍看者淌血的人守护身旁，欠不起这样的深情。

　　天使，请离开。

忘路之远近

一个住在西环的男人，爱上一个住在上水的女孩子，每次约会，她都要匆匆道别，赶上最后一班火车。渐渐他觉得不耐烦，爱上一个住在湾仔的女人。

另一个男人，跟一个住在屯门的女子恋爱，每次约会后，他只送她到巴士站，要她自己回家，因为实在太远了，明天他还要上班。

但有一个住在香港仔的男人，和一个住在元朗的女子恋爱，每次约会后，他都坚持要送她回家，他觉得这是做朋友的本份。

于是他们先座巴士，再转地铁、转火车，再转小巴，才把她送回家。回程路上，灯火灿烂，每次他都忍不住在小巴上呼呼大睡。

他试过买下一部廉价的二手车，每次回程从元朗出市区，长夜漫漫路漫漫，好几次都忍不住打瞌睡，十分危险。

这是都市特有的爱情故事。

不久前看过一本日本小说，一个女子在地球行将灭亡，所有交通工具瘫痪的时候，徒步千里之外，去见她的情人。

只觉得爱一个人，便会忘路之远近，甚至希望那条路永不会走完，永远不用说再见，公路如此，情路如此。

即使到了门口，也想继续徘徊，不舍得说别离。

为什么喜欢他

有人问："你为什么喜欢一个人？" 我只能够说出为什么不喜欢一个人，却说不出为什么喜欢一个人。

喜欢一个人是一种感觉。不喜欢一个人，却是事实。事实容易解释，感觉却难以言喻。

爱情是忽然有一个人，我们觉得一见如故，很想靠近他，我们的内分泌忽然起了翻天覆地的变化，很想拥抱他。

以后，无论快乐或哀愁，我们也想不起当初为什么爱他。

只有当我们不爱一个人时，才会找出不爱他的原因，因为我们开始挑剔。任何一个人，只要你去挑剔，一定找得出缺点。越去挑剔，缺点越多，我们便可以说出为什么不喜欢他。

我们想买一件衣服时，即使发现它有小小瑕疵，埋怨几句，也肯将就，因为只有这一件，而且我们太喜欢它了，瑕不遮瑜麼！

假使我们根本不想买这件衣服，它的小小瑕疵便是致命伤。

我们更会努力地找出其他缺点，譬如质料不够挺，颜色太鲜艳，向售货员证实，我们不是来混吉的，我有认真考虑过。

分手可以有很多原因，结合却只有一个原因，原因就是：不需要原因！

我在餐厅等你

我们都经历过在餐厅等待情人的岁月。

初次约会、初次剖白、示爱、吵架、忏悔、分手、和好如初。恋爱离不开餐厅，回忆从这一间到另一间，等待的日子总是患得患失。

相约等候的餐厅，最好有落地玻璃，可以一边等他，一边看街外人来人往，感到自己是最幸福的人，因为我在等待心爱的人出现。我才是餐厅里最有希望的人！

然后他来了，抱歉来迟了，我心甘情愿说了一个美丽的谎言："我刚刚才到。"

再好一点的餐厅，是可以看到海景和日落，最好有厢座，如果不幸厢座给别人占去了，侍应请你坐在另一张台，总是有点忐忑不安，紧盯着四周的厢座，希望他们快些结帐，那么，在他来之前，可以换一张厢座，他来了，才不好意思提出呢！

如果是厢座，就可以坐在他旁边，方便他拉着我的手。如果觉得自己的左边脸比较好看，当然要坐在他的右边。

最坏是在人太多的餐厅等待，他因为某些原因，迟到一小时，众目睽睽，整间餐厅的人都目睹我孤单失望沮丧地等了一小时，无论如何，我不得不向他发脾气，别让旁人以为我是一相情愿爱他，所以不敢向他发脾气。其实，我心甘情愿在餐厅等你，等待的时刻也是甜美的。

我这样爱有错吗

有一天，无端地伤感，在平常不会通电话的日子里，摇了个电话给他。

未开腔已经哽咽，吓得他问我："是不是撞车？给老板骂？是不是不舒服？"

噢，统统不是。

"只是想听听你的声音！"

"那为什么哭？"

"听到你的声音之后，很感动，所以就忍不住哭嘛！"

我其实是个很害怕寂寞的人，又有谁不怕寂寞呢？

正面爱情论者说，爱情不应该因为害怕寂寞、孤单，害怕被孤立而去爱。

可是，若有那么一个人，令你不再感到寂寞、孤单，不再感到被孤立，为什么不可以爱？

即使朋友前呼后拥，若当中没有执爱的人，只会更寂寞。

正面爱情论者又说，我们应该是想付出爱而去爱，不是想得到爱而去爱。

可是，若有那么一个人，令你热切渴望得到他的爱，何以不可去爱？

多么璀璨的爱情，有一天，都要脚踏实地，何必把标准定得太高？因害怕寂寞而去爱一个能令你不再寂寞的人，因为想得到他的爱而去爱他，有什么不对？

吸烟的女人

不快乐时，抽一根烟，醉烟的感觉如醉酒那样伤感。烟，令我想起一个爱情故事。

我从前有位女朋友，抽烟抽得很凶。可是她的男朋友最讨厌抽烟。所以每次跟男朋友见面，她都刷牙漱口，清除烟味。

那天晚上，我正在她的家，她烟接烟地抽了两包。突然，她的男朋友大电话上来，说正在附近，十分钟后上来。

她吓得魂飞魄散，连忙冲如厕所刷牙。当她半途从厕所跑出来，教我打开窗时，把我吓了一跳，她满口都是烟膏泡沫和鲜血，有半条牙膏挂在她的胸前。她以拳头紧握牙膏的姿态，象握着凶器，令我想起越南难民营里，不是有磨尖牙刷造武器吗？她说因为心急，所以太用力刷到流牙血，而且还吞了两口漱口水。

口里有一股漱口水的薄荷味，她又觉得太着迹了，人急智生，灌了几口白兰地，口里的薄荷味变成酒味。

后来，他们分手。每当谈起那天晚上的狼狈相，她苦笑凄然。肯为一个人去假装自己，也许是最微的爱与牺牲，笑中有泪。

我只是不知道，曾经是她假装没有吸烟，还是他假装没有闻到烟味。

笑出眼泪的女人

一个男人说，他不会令女人太快乐，害怕她们会笑出眼泪来。

他说，女人总是在男人千方百计令她快乐之际，悲从中来，含泪问男人："你以后还会对我这样好吗？"

甚至说："不要对我这样好，我怕你以后不会这样对我，我会更伤心！"

男人苦恼，他一心感动他所爱的女人，到头来却令她难过，男人还要安慰她。

他们总是不明白，女人到底是什么样的动物？她们总是在最快乐的时候胡思乱想！

其实在爱情路上，女人比男人居安思危。

男人在拥抱一个女人的时候，也许从未想过会失去。当女人对他好，他不会问："你是不是永远都对我这么好？"

他们相信眼前的快乐，没有想过日后。

但女人不同，女人相信眼前的快乐，因此想到日后，害怕一切会变坏。

因此，对男人，我们只需要说："我爱你！"

但对女人，男人或许要说："我爱你！永远。"

女人听后，感动流泪，然后死性不改，问男人："我们真的有永远吗？"

眼界非凡的女人

女人的眼界往往比男人准确。

上届奥运的定向飞靶项目，虽是男女混赛，但冠军是女人。

廉政公署"火枪队"的神枪手也是三位女士。当女人要瞄准一个目标时，往往能做到心无旁人。

男人却会受周围环境影响，这也许是天性。我们认定了一个人，便专心一志，不像男人依旧环顾四方。

所以，能一矢中的的，往往是女人。

我们眼界准确，已经无容置疑。至于投篮轮给男人，不是轮在眼界，而是轮在高度，况且，你以为投篮难度高，还是射击难度更高呢？

因此，男人不必惊讶，当一个女人大发脾气，要抓起东西扔的时候，虽然情绪异常激动，她仍能一手就抓起不属于自己或不贵重的东西来扔。

虽然衣柜里塞满大家的衣服，她仍能准确地拿出男人的衣服来剪烂，而不会剪错自己的靓衣。

当她伤心欲绝，要离家出走的时候，她也能找出最名贵的那几件衫扔入皮箱，不会搞错。

所以，不要怀疑女人的眼界，我们随时会令男人眼界大开。

一篮子爱

投资专家劝喻投资者，不要将所有鸡蛋放在一个篮子里。分散投资，避过全盘失败。

但感情，却无法不冒险放在一个篮子里，如果能够分散，那的确只是投资，而不是爱。

每个人其实都是为了某一种自知或不自知的原因而爱人。

有人渴望得到关怀……

有人渴望得到温暖……

有人渴望得到安慰……

有人渴望施予这一切……

以致我们可以忘却生命里其他更重要的事，单单卷恋爱情，不肯将事业、理想、抱负与爱情均分投资，当然也不愿将爱情分在几个篮子里。

只是，当越爱一个人，越会钻进牛角尖里，吸因负担不起失去他或她的代价。

成其当我们越世故，越对人失望，越对生活无奈，不再相信这一切的时候，难免将所有感情、所有爱和希望，都放在一个人身上。

有一个人，因为这样而疯了，一直待在精神病院里。

往事随风逝去，她忘了她曾经多么爱一个人，以致当他说离别，她笑了。一直在笑。

而那个男人也不好受，他只是无法再负荷一个女人对他太沉重的爱。

他说，难道他连挣脱的自由都没有？

她却无法再抽身而出，她将所有鸡蛋都放在这一个篮子里，那堪破裂？

一直在等你

最痴心的等待是一直等待下去，不知道他会不会来，不知他来了会不会走，也许他永远不会来了，还是一相情愿等下去，无可奈何，却心存期盼。一切都身不由己。

女人比男人善于等待。

有些女子肯一生一世等待一个男人说："我爱你。"

有些女子肯一生一世等待一个男人回心转意。她生怕她一旦失望离开，男人却刚刚鸟倦知归，于是她不敢离开，她人说，他总有一天会回来，因为他知道我在这里等他。

女人最伟大的行为，莫过于为一个男人蹉跎岁月。

男人最放心不下的，是有一个女人一直在等他。

女人若想等一个男人，总是全心全意，守身如玉。

男人却不是这样，他们竟然可以一直痴心的等一个女人，却不断和其他女人发生关系、感情或婚姻。

他们最爱的女子走了，他多么想等她回来，他心里的位子一直悬空给她，可是，他的身体却软弱了，仍想有另一个女人睡在他身旁。

结果他等待的是一个女人，与他共度余生的，又是另一个女人。也许等待的岁月实在太寂寞了。

但，女人的等待，总是连身体一起等下去。

余情未了

男人比女人爱缅怀过去。

所以，只有男人才会唱《余情未了》。

无论多少年过去了，他自己也有要好的女朋友，男人仍会惦记着他以前的女朋友，想想她现在变成怎样了，她日子过得如何。

如果看见她幸福，他们会快乐，因为她是他爱过的女人。

如果看见她并不幸福，他们会难过，想想如果他没有离开她，一切也许会不同。偶然接到旧女友打来的电话，男人的声音都会立即变得温柔无限，如果她刚刚与现任男朋友吵架，泣不成声，他会义不容辞立刻跑去开解她。

如果她有什么请求，他尽量会满她。

男人比较多情，因此他们埋怨女人绝情。

是的，偶而我会怀念从前的日子，想想我曾经和这个男人一起啊！

可是，我或许不会惦记着他。如果突然再接到他的电话，不是怀疑他死心不息，想再续前情，便认定他虽然离开我，他还是爱我的。没有第三种想法，并且尽量不会再见他。

不是女人绝情，是女人忠心。

是女人忠心令女人忘记过去，努力面前。只有现在所爱的人，才是最好的。男人余情未了，因为自命多情，但女人从不自命多情，宁愿现在好好爱一个男人，好过日后有余情。

与柴门文对话

我问柴门文对爱情的看法。她说她现在对儿女的爱更深。对丈夫的爱，是一种感情。因此，她今后的创作，重点都会放在家庭。

写了许多扣人心弦的爱情故事的女作家，最后却告诉我们，爱情终于会消逝。一个女人最后的依归，是家庭、是儿女。多么璀璨的爱，多么激荡心灵的情，我们流过的眼泪，伤痛的回忆，刻骨铭心的对话，情人的体温，都像是听来的故事，随风逝去。

然后，男人和女人，实实在在地生活，养儿育女，积谷防饥。谁会一直恋爱到六十岁？坚持下去的人，是太苍茫，还是有遗憾？

柴门文说，回归家庭是女人的天性，至少，那是日本女人的天性。但曾几何时，我们执迷地追求爱情，以为女人最善于爱？

恋爱最终的渴望是婚姻，谁知有了婚姻之后，女人却变成他儿女的母亲，丈夫变成生活的伙伴。

女人不会再在异国的地铁上，眼泪看着这个男人；不会再跟他在雪地上追逐。不会再期待他的电话，当电话响起的时候，又迟迟不肯去接听。

来日岁月，是否太早令人唏嘘？

原来我们最大的情敌，不是第三者，而是岁月。

在你肩上微笑或哭

女人也许都希望男朋友比自己高大。

我的要求很简单，他不须特别高大魁梧，只要在我想的时候，我的下巴刚刚可以搁在他的肩膀上，微笑或哭。

我需要一个可以承受我重量的肩膀。

儿时，父亲喜欢带我到亲戚在郊外开设的农场游玩，常常是直到灯火阑珊才回家去，总是父亲抱着我，我的头搁在他的肩膀上熟睡，长途跋涉，回到家里，还不肯睡到床上去，因为那个肩膀已给我睡得很暖。

长大后，我们寻找属于自己的肩膀。

有些女人不同，她们希望她们所爱的男人伏在她们的肩膀上衰伤流泪忏悔，然后她们温柔地抚弄男人的头发。最后，她让沮丧的男人躺在她们的大腿上睡去。

也许我太软弱，我希望一切倒转过来。我希望在我对世事失意时，他会温柔地抚弄我的头发。

所以，我真是一个大包袱。

包袱不是人人承受得起。并非人人都是圣诞老人，户上挂一个大包袱，带着欢乐，走遍天涯。

可靠的肩膀和你想靠着的肩膀，并不容易找到的呀。

只想找一个在我失意时，可以承受我的眼泪，在我快乐时，可以让我咬一口的肩膀。

在外面找一段爱情

一个男人说，跟那个和他相处了十年的女人，他并没有爱情。他留在她身边，因为她实在对他太好了，她可以为他做任何事。

但女人到了某一个年龄，总是希望结婚。男人说，当他找到一段爱情，他就会跟这一个等了他十年的女子结婚。

意思是说，他要在婚前当过爱情的滋味，他才肯向婚姻低头。

我只觉得十分奇怪。万一他终于找到一段爱情，令他快乐、痛苦、心灵悸动、患得患失。他当过了，然后他跟那女子道别，回去结婚。那么，那个给他爱情的女子，莫非很无辜？

她不介意他有一个十年的女朋友，她和他热烈地爱一趟，然后他竟然抛下她去结婚，是否太自私？

除非，除非这个男人又刚好那么幸运，遇上一个出来找一段爱情就回去跟自己不爱的男人结婚的女子。他们热爱之后，各自回去，各得其所。

何以要跟一个没有爱情的女子结婚？这正是男人的婆妈。当女人不爱一个男人，无论多少年，她都会离去。并非女子无义，我们不擅长欺骗。

男人用婚姻交代，女人用婚姻示爱。

因此我们竭尽所能，寻求与爱并存的婚姻。

掌掴

电影里常出现的两种经典场面，是刁蛮任性的富家小姐掌掴她心仪的男人，他还手，她再还手，掌掴之后，爆发爱火。

另一种则凄凉的多，是女人含泪掌掴负心郎。

据说男人相当介意被女人掌掴。你可以对他拳打脚踢，捶他胸口，扯他的领带。但掌掴他，就是把自己提升一级，侮辱他、鄙视他，是对男人尊严的挑战。偏偏女人对掌掴男人相当熟练。对女人来说，拳打脚踢不及掌掴来得痛快，因为这个男人令她肝肠寸断，他实在太坏了，她一定要重重打击他的尊严，才可以拾回一点自尊。

女人掌掴男人，也许是知道他去意已决，无可挽救，偏偏自己还深爱着他，而他竟冷酷地说"我不爱你了！"

女人闻言浑身颤抖，一只手慢慢提起来，拉向后面，双眼瞄准他，运劲把全身力量集中在一点，一掌飞出去！爱恨一笔勾销！最好他很透我，我便没有勇气再找他。

这一巴掌，是自绝后路。壮士断臂，必须勇敢，必须忍心，才做得到。

女人不会掌掴自己从未深爱过的男人，必是肝肠寸断才会出手。

一个男人，若从未被女人掌掴，真是好打有限。

最坏的男人，是女人要掌掴他时，他竟避开。若到那一刻，可不可以豪爽一点，勇敢一点，不还手，不避开？那时她刻骨铭心爱着你的证明。

只怕不再离别

只有一辆车的时候，每次见面后，男人必须送女人回家。长路漫漫，白天的忙碌与晚间的醇酒令人昏昏欲睡，每次穿过笔直的隧道，看似永远走不完，男人的眼皮越垂越沉，车子渐渐作 S 型行走，女人要不断拍他的大腿，叫他千万不睡，他连忙打开车窗，让风吹醒自己，把她送回家。她很心痛。

当女人也有一辆车之后，她驾著车去与他相聚，约会后，却要在停车场外分手。她看著他的车亮起灯，消失在灯火灿烂的马路上，突然感到十分失落，今夜的路竟不相同。

偶而，他会给她意外惊喜，她在前面飞驰，原来另一辆车一直在后面跟着，陪她归去。当她在后视镜发现他时，还得装作看不见呢。

调皮起来，他以无敌姿态超越她的车子，她不甘落后，紧贴着他，正路斗不过他，便悄悄走另一条路，大家在收费站居然相遇。

如果分别后，她以为他会跟着，他却没有。她在后视镜里望著一辆又一辆车飞弛而过，那孤单的感觉要延续到下一次见面。

如果不想道别，该选择共同生活，却怕不须再忍受离别的失落以后，偏要面对共同生活中种种失望。宁愿今夜又离别。

致命的拥抱

我不善于拥抱。

在舞会上，看见别人热情拥抱，肌肤紧贴，我都无法投入。我是个并不热情的人，而且对于拥抱，非常挑剔。

我只想得到情人的拥抱。

最好是熊抱。

朋友说，如果不多抱抱其他人，怎能够把自己喜欢的人抱得更舒服呢？

我认为拥抱不须练习，那是我们的需要。

小时候，有哪个小孩子，不需要抱着一件至爱的东西，才肯睡觉？尽管是个又旧的毛娃娃，却死也不肯放手，从爸妈手上拚命抢回来，含泪睡得香甜。

后来，我们抱着枕头，抱着镶了情人的照片的相框，抱着心爱的尽睡着。

因为我们孤独。

但拥抱体温，比这一切更实在。

有什么比情人的怀抱更震憾？

一双男女，以蛮牛动向斗牛勇士的速度和劲度，奔向对方，直至把他撞倒为止！

在最接近的距离，怜听他的呼吸。

双脚离地，也不会尖叫。

杀死一个女人，最浪漫的方法，是用力地拥抱着她，直至她窒息还不愿放手。

皱起眉头的男人

你曾经为多少人多少事皱过眉头？

我从来没有。只怕眉头皱得多，形成了皱纹，即使用上两千元一瓶的去皱膏也无法力挽狂澜。

但我希望有一个时常为我皱眉头的男人。

他因为我这个人太麻烦、太蛮横、太任性、太不讲理，又莫奈我何而时常皱眉。终于不单眉头出现两条弯弯的小皱纹，连额头都开始有皱纹了。

当他问皱纹苦恼，我告诉他，他的皱纹比别的男人好看。然后请他继续为我皱眉头。

因为关心和爱，我们才会忘记会有皱纹啊！

而且，经历风霜的男人最好看。

几条皱纹，散乱的白发，证实他为理想和事业付出过。

忙于奋斗的男人，哪有时间兼顾外表？

最怕那些只顾外表，讨异性欢心的男人。他们天天上健美院与岁月争雄，肩膀和胸肌练得象一只横放的皮箱。臀部练得扁平，与背部可以划成一条直线，即使沙滩躺上一天，他不会出现一个凹位。

他们不卖风霜，他们卖风情。

但男人为他所热中的事业，他所爱的女人，专注地紧皱眉头的那一刻，才是最好看的。

总有一厢情愿

两情相悦和一厢情愿之间，也许没有绝对矛盾，即使两情相悦，也有一厢情愿的时刻。富商后人争产案中，妾侍叙述当日丈夫续弦时没有知会她，是因为"他怕我不高兴！"旁人都不以为然，他那么富有，又有权威，妾侍依赖他生活，他怎会怕她不高兴？是她一厢情愿而已。

我想起已故华探长的三妾侍，她说："虽然他有很多女人，他待我最好。"

这番记忆，忌无一厢情愿的成分？

我们把幻想变成事实，一厢情愿地美化对方所做的一切，猜度出他的意思，不须求证，便心领神会，营着一段爱情。

如果一直两情相悦下去，一厢情愿的事也许永远不会被揭穿，但，一旦分手，便各有立场。

女方说："当初他主动追求我，千方百计感动我，如今却这么决绝！"

男方说："当初她主动追求我，我就该拒绝，是我这个人太心软，不想伤害她。"

做为局外人，的确不知道谁是谁非，也许双方说的，都是他自己认为的事实，记意总是有盲点。

女方说："是他首先注意我。"

男方则说："是她千方百计吸引我注意。"

最后两情相悦，都是由于那些一厢情愿的想法，最好不要对证。

最难的事

最难的事，是写新诗，写得不好，便变成短句。

最难的事，是对人好，对方不领情，你便变成擦鞋仔。

最难的事，是追求，她不喜欢你，便变成你性骚扰她。

最难的事，是容忍，越是宽大容忍，越容易被误为懦弱，欲辩无词。

最难的事，是表白，稍微激动，便成为哭诉，被误为理亏，想博取同情。

最难的事，是爱他人，爱得太好，是一相情愿；爱得不好，则有被抛弃之虞。

最难的事，是关心，稍稍控制不当，便变成管束。

最难的事，是提出分手。说得太绝，被视为抛弃行动；说得委婉，对方却不明白。

最难的事，是第一次约会，穿得太好，怕他视穿你有意。穿得不好，怕没有第二次。

最难的事，是欲拒还迎，拒的不够技巧，对方已不来第二次。

最难的事，是重拾旧欢，有被同一个人抛弃多一次的危险。

最难的事，是写专栏，不够努力，写得不好，会被通知改版，请不要再交稿。非常努力，篇篇精彩，会被认为早已狠到发烧。

妾 身

已故总华探长的第三妾侍接受杂志访问，她毕身最引以为荣、最大的成就，就是嫁给了蓝刚。

公义与法律评他为贪污探长，但他的爱妾说他是人在江湖。

她口中的丈夫疏财仗义、豪气干云、英明神武。他单枪匹马直捣贼巢，屡破大案。

她为他放弃了当医生太太和明星的机会，舍正室不做而做妾侍。

他虽然有财、有势、兼有型，许多女人愿意贴钱跟他，但他最疼这个三妾侍。

她仍然记得生日时，他陪她去逛车河、食大餐，连正室都嫉妒她。每一个细节，她都常挂在口边，连儿子都嫌她烦。

她仍保存着他的枪套。他去了，她常独自饮泣。

每一个女人都以为自己嫁了一个很威风的丈夫，而这个梦最好不要醒来。无论历史或他人如何评价他，无可改变的是，他是她的男人，自然是最好的。

我只想说妾身着回事。不能做正室的女人，最引以为傲的，是"他最疼我，对我好过对老婆。"

妾身必须这样感觉到，才能生活下去。忘掉名分之事，只记今朝笑。

你想我知道的

除非大家都是对方的初恋情人，否则，我们都会有过去。

年少时候，我们会问："你谈过多少次恋爱?"

"你曾经有过多少女朋友?"

"你和多少个女人睡过?"

"你和她为什么会分手?她是不是你最爱的?"

年纪大了一点，恋爱经验也丰富了一点之后，我们不会再那样问了。

我甚至不一定要知道。

他喜欢说的话，我当然想听。我怎会不想知道呢?但我不会寻根究底。

他说多少，我便听多少。他会一点一点的告诉我。当他忽然停下来不再说下去，我也不会去追问。

一天，提起大家的旧情。若他说：

"我的你都知道了。"

我会微笑着说："我想我知道的，我都知道了。"

是的，你想我知道多少，我便知道多少。我不想你知道的，我也不会说。

我爱的是现在的你，为什么要逼你说过去?那就等于逼你说谎。你的旧情人太好了，我会妒忌。我宁愿不知道，那样我才能相信，你最爱的永远是我。

舍不得把书看完

常常收到一些读者的信，他们在信里 说：

"你的书，我舍不得看完，所以，我看 得很慢很慢。"

那时我并不明白，既然喜欢一本书，又为什么不把它看完呢？冰箱里有可口的食物，我会一口气把它吃光，不会等到明天；买了一只新的鞋子，我会天天穿着它，不会把它藏起来。看书的时候，难道你不想知道结局吗？

然而，我渐渐体会到舍不得把一本书看 完的心情了。

最近在看一本书，那本书很厚，有四百多页。开头看的时候，不觉得怎样；愈看愈喜欢。看了四分之三，我开始不舍得把它看完。看完了怎么办呢？过去的许多天，我每天 看一小部分，每天的生活也变得充实。早上一觉醒来，便想快点开始看书。如果整本书也看完了，我一定会很失落吧？

我既想把它看完，又害怕把它看完。

终于，我看完了，无限的失落。明天，我还有什么可以做呢？暂时找不到一本书比它好呀！

好朋友说："我看书，从来只看四分之三。"

这一刻，我才知道他比我所认识的更感性。害怕把书看完的人，也许都是害怕离别的吧？

你是聪明的吗？

一项调查说，小学生因为觉得自己不聪明而失去自信心。

成人又何尝不是这样呢？

我们总是希望自己比别人聪明。当我们发觉自己不聪明，甚至有点蠢的时候，我们是多么的难过？

我们在一生之中常常努力去证明自己是聪明的。我们经常挂在嘴边的一句话是："不要以为我很蠢！"

我们多么害怕别人不知道我们是很聪明的

谁有资格去判断哪个人最聪明呢？我们曾经以为考第一的人最聪明，然后，我们才发觉，他们也许只是勤力而不是聪明。聪明的人是考不到第一的，他们太花心了，往往无法集中注意力。

长大之后，我们用事业的成败来判断一个人是否聪明。最后，我们又发觉运气也许比聪明更重要。

原来，爱情最公平；无论你有多聪明，你也有机会被人抛弃。再聪明的人，在恋爱的时候，也会变成一个笨蛋。

聪明只是使我们自我感觉良好。聪明的人，不一定有成就。聪明的人，也不一定幸福快乐。愿与所有自觉不够聪明的人共勉之。

欲望的鸵鸟

张小娴散文系列

施舍一个怀抱

女孩说，她和男朋友一起已经好几年了。近来，他对她很冷淡。约会的时候，他一句话也不说。他仍然会牵着她的手，但他已经很久没有吻她和抱她了。她投诉了许多次，他依然沉默。终于有一天晚上，她问他：

"我想你抱我和吻我，你可以做得到吗?"

他想了许久，说：

"可以。"

可是，他并没有这样做。

她说：

"这些事情都是你能力做得到的，请你不要我来求你。"他的双臂还是没有为她张开。

拥抱一个人和吻一个人，并不是能力的问题，而是爱与不爱的问题。

当你不爱一个人，你会吝啬一个怀抱和一个吻。即使是轻轻的一吻，你也不想再出了。这样做，是希望对方知难而退，那你便用不着首先说："我不爱你了!"然而，对方还是装着不明白，还是要强人所难。

乞求一个怀抱和一个吻，是多么没有尊严的事?

你也有能力不去乞求的，可是你做不到。在爱情面前，谁不曾卑微地乞求过一点施舍呢?

猥琐的重逢

许多年之后，你在街上碰到你从前的男朋友，他看不见你，你好奇地看看他要到哪里去；结果，你发现原来他去嫖妓。那一刻，你会有什么感想？

十年前，她跟这个男人相恋。虽然大家一起只有几个月，分手之后，她却要用一年时间才能够复原。他给她的痛苦，她是没法忘记的。

十年后的一天晚上，她在红灯区重遇他。虽然只是远远看到他的侧脸和背影，但她已经把他认出来了。他跟几个男人一起走进一家俱乐部。她知道那是一家有女人陪酒的俱乐部，附近便有许多时钟酒店。

睽违十年，重逢的一幕，竟然是让她看到他的猥琐。然而，她一点感觉也没有。也许，她从来没有爱过这个男人，他也不见得爱她。不管他今天晚上是去嫖别人还是被别人嫖，她也毫不关心。

即使他现在是做男妓的，她也只会笑笑说：

"他?他也可以做男妓?"

时间会使你变得清醒和无情。你苦苦的问："怎么可以忘记一个人?"

我说："怎么可以不忘记一个人呢广

单思是水月镜花

男人暗恋一个女人。半年来，他们天天见面，通电话，身边的朋友都以为他们是一对。他也以为她对他有好感。然而，有一天，她告诉他，她跟男朋友分手了。

这个时候，他才知道她是有男朋友的。

她还告诉他，最近有个男人追求她，她不知道应不应该跟他约会。

他难过得要死了。在没有她的日子，他去她喜欢去的地方，听她曾经喜欢过的音乐，做她喜欢的事，连身上的打扮也模仿她。他叫我别误会，他并不是穿上女装，他只是穿衣的风格和她一样。

这是个糊涂却又深情的男人。

半年来，天天跟她见面和通电话，也不知道她有男朋友，你说多么糊涂？深情，因为他模仿她穿衣的风格。

两个相爱的人，穿衣的风格会愈来愈相像，不可能一个穿得像贵妇，一个穿得像流氓。一个低调朴素的男人也不会爱上像一棵圣诞树的女人。

如果不是相爱，而是一个暗恋另一个，那么，他只好偷偷的模仿她的一切。

把她的衣服穿在身上，那就等于把她留在身边。可惜，这一切毕竟是假的。他在镜子中看到自己，也同时看到自己身上的她；单思，也不过是如此这般的水月镜花。

不要再投资不去了

有时候，我们不愿意离开一个人，是因为我们在他身上投资了太多东西，包括感情、青春，甚至是金钱。

跟他的关系愈来愈坏，彼此的话题愈来愈少，相处得愈来愈不开心，无数次想过要分手，却仍然留下来，因为已经投资了那么多，没理由现在放弃。

半途放弃，以前的损失怎么办？

已经下了注，不赢的话，太不甘心了。

于是，每一次闹分手，也不肯真正的分开。

好像还是爱他的，爱他什么呢？渐渐地，自己也不知道为什么爱这个人。

也许，我们只是不肯承认爱情已经消逝了。

我们可以投资在自己身上，却不可能投资一段爱情。

无论你有没有遇上这个人，你也会一天比一天年老，为什么说他耽误了你的青春呢？是你耽误自己。当你付出感情去爱一个人，你也享受那个过程，这不是投资。至于金钱，何尝不是你甘心情愿的？

最聪明的投资，是在知道大势已去的时候，立刻撤退，不要奢望拿回当初的本钱，也不要再投资下去。趁自己还有本钱的时候，投资在另一个人身上吧。

为谁而发奋

你会不会为一个男人而努力自己的人生?

我从来不知道我有一位那么深情的朋友。认识她的时候,虽然她的才华已经受到赏识,但是,她的生活还不是过得很好,她的世界也很灰。这两年来,她的事业突飞猛进,也赚了很多钱。我们住在两个不同的城市。去年,我去找她的时候,她抢着请我吃饭。我取笑她:

"你现在是不是赚到很多钱?"

那一刻,她竟然打从心底笑出来。

今年初,她来香港找我,她的事业又跨进了一大步。她的世界也多了很多欢笑。

这天,从她的朋友口中,我才知道,这些年来,她所做的一切,都是为了一个已经跟她分了手的男人。

她要努力,要成功,那样就可以向他证明她是他爱过的女孩子之中最好的。虽然大家没有再联络,然而,他会知道她现在有多么的出色。

那个朋友问我:"你有没有曾经为了一个男人而努力?"

记忆之中,我是没有的。然而,能够为一个男人而努力,那毕竟是好的。起初,你是为了要他后悔而努力,当你渐渐迈向成功,你是为了你自己而努力。只要成功,当初是为了谁而发奋,也不重要。

我们做回朋友吧

你说："我们做回朋友吧！"

那么，请问：我可不可以继续和你分享我的快乐？

我可不可以借你的肩膀流泪？

我还可以每天跟你通电话吗？

我想见你的时候，是不是不需要任何借口？

我寂寞的时候，你还会陪我吗？

我想搂着你的时候，你会拥抱我吗？

我可以知道你跟谁来往吗？她是什么人，你有多么喜欢她？

我可不可以分担你的烦恼？我可不可以向你撒娇？

我还能够在你家睡觉吗？我可以继续留着你家的钥匙吗？

我还可以陪你家人吃饭吗？

如果今天我很想的话，我可以睡在你旁边吗？

你生日的那天，可以跟我一起过吗？我要跟你做这种朋友。

如果不可以的话，我们便不要做朋友妇 了。

永不死心的男人

当你不喜欢一个人的时候，你是什么也会看他不顺眼的。即使是很小很小的事情，例如头发的分界；他的发界太偏左了，你会认为是很大的问题。他常常开怀地笑，也会惹你讨厌。他为什么不能酷一点?他的鼻太大了，他的皮肤偏黄、他的手指太长，这些统统都是不能容忍的缺点。

当他爱你而你不爱他的时候，他总是有很多事情令你看不顺眼。人太好，也是问题。对你太好，也叫你受不了。你就是不喜欢他对你这么好。你尤其讨厌他对你千依百顺。

当你愈是尝试去喜欢他，你愈是看他不顺眼。为什么我们会这么差劲呢?那个人并没有对我们不好；相反的，他很好很好。对我不好的人，我会死心塌地，对我好的，我偏偏要折磨他。

是的，他这么好，我会难过。我会抱怨，为什么对我这样好的不是我爱的那个人，而是一个我不爱的人?所以，我特别憎恨他。

只要我不爱他，我会用显微镜去观察他的缺点。然而，当他死心了，撤退了，我又会有点失落。既然他那么爱我，我还以为他是永不死心的。他也死心了，可见男人都是一样的，他们根本没有自己所说的那么伟大。我想要一个永不死心的男人，世上有吗?

后悔和你睡

有些说话，你并不希望由自己说出来，譬如这一句：

"和你上床，是我一生最大的错误！"

若要说这句话，也许太悲伤了。

我们多么希望自己与之睡过的，都是自己爱过的人?起码，在当时是爱他的，也相信他是爱我的。

后来，我们发觉自己不爱这个人了，我们又多么希望自己从来没有跟他睡过?他是不值得的。如果没有睡过，那该有多好?可惜，有些东西是永远抹不掉的。过去的，不一定是错误，我们还不至于说："这是我一生最大的错误！"

跟什么人睡过，会是一生最大的错误呢? 应该说是骗子吧!当时的他，根本不爱我。他爱的，只是一具肉体，用来满足他的性欲。但愿我们一辈子也不用对一个男人说：

"和你上床，是我一生最大的错误！"

我是不值得的

你曾经遭人白眼吗?

也许,每个人生命中都会有这些时刻。那些还算不上白眼,只是令你受了一点点的委屈。受委屈的时候,你多么希望自己以后能够争气一点?

那一年,我还在半工半读,我的身边,有一个身份地位跟我悬殊的男人。一天,他的朋友跟他说:"这个女孩子并不适合你呀!"我听了,很觉得委屈。我没有喜欢他,是他一直苦苦痴缠。他的朋友,大概看不过眼他那样沉溺,所以跟他说,这个女孩人不值得。

这关我什么事,是他要来喜欢我。值不值得,是他自己的事,我才不在乎。

他在电话里滔滔不绝的倾诉,问我为什么不爱他,我掷下电话筒去洗澡。我不是没有尝试过喜欢这个人,但是,我真的无能为力,就像他对我一样,他也许想不喜欢我,但他无能为力。

这些年来,我在街上碰见过他两次。那两次,我都避开了。跟一个单恋过自己的人重逢,应该是他觉得尴尬才对,但是,不知道为什么,我觉得尴尬。也许,知道自己曾经被人苦苦地爱过,那是很难堪的。难堪,因为你没有爱过对方,没有回报过他的痴心。是的,我得承认,在这个层面上,我是不值得的。

留个纪念的情话

有些情话，我们不一定相信，但是，我们希望在自己一生之中能够听过，留个纪念。譬如：

"嫁给我吧！"

"让我照顾你吧！"

"我从来没有这么爱一个人。"

"你是我最后一个女人。"

"没有你，我不知道怎么办。"

"我从来没有对人这么好。"

"你最了解我。"

"我一生也会保护你。"

"你是最漂亮的。"

"我喜欢抱着你。"

"我要令你幸福。"

"你老了，我仍然会这么爱你。"

"我永远不会放弃你。"

"我不会让你离开我。"

愿意冒死一试病毒

一名菲律宾学生制造了一种名为"我爱你"的电邮病毒,许多人收到这封电邮时,不虞有诈的打开了,结果受到感染,连英国下议院的电脑系统也没法幸免。专家说,这种病毒正在迅速蔓延。

这种病毒所以成功,是觑准了人们的心理吧?

恋爱中的人,收到"我爱你"电邮,会以为是自己心上人发出的,于是连忙打开。失恋的人,以为是旧情人重投怀抱,也急不及待打开来看看。没有恋爱的人,以为有人暗恋自己,所以,满心欢喜的打开看看。结果,他们全都染病了。

看见"我爱你"这三个字,谁能忍受不去理会呢?我们多么渴望被人所爱?相识的,甚至不相识的。

要传播电脑病毒,除了"我爱你"之外,以下几句,也保证可以骗倒对方:

"我第一眼便爱上你。"

"我知道有人暗恋你。"

"思念你。"

"给美丽的你。"

最后这一句,凡是女人都会打开来看看。即使知道可能是骗局。我们也愿意冒死一试。

但能给我片刻欢娱,一死又何妨?最厉害的病毒,是爱和谎言。

不一样的愿望

你曾经想过一个男人死吗?

他辜负了你, 欺骗了你, 背叛了你。分手的时候, 他不知道有多么无情和残忍。他是一个不好的人。每一次, 当你知道他还活着, 你会问:

他为什么还没有死掉?

可是, 有一天, 他死了, 你竟然一点也不快乐。你以为自己恨他, 原来, 那些恨之中, 也是有爱的。爱和恨, 好比情和欲, 有谁可以分得清清楚楚呢?我们以为是恨, 只是不肯承认自己还爱着一个不值得的人。

是的, 他不值得;可是, 有些爱情, 并不一定值得的。多少年后, 你竟然发现, 你是曾经深深爱过那个坏蛋的。

爱是善良的, 却不一定聪明。

一天, 我问一个男人:"女人想一个男人死, 是不是很毒？"

"只是想想罢了, 这是人之常情。她不是去杀他, 又不是天天诅咒他, 那也没有什么问题。"他说。

"那么, 男人会想一个女人死吗?"

"喔, 男人不会的。"

"男人的胸襟真是比女人广阔。"我说。

"我们只会想她变老和变丑, 变得任何一个男人也不会爱上她。他微笑着说。

不光荣的时刻

当你爱一个男人，你是爱他光荣的时刻，还是你也爱他卑微的时候？

女人爱一个男人，总是能够举出他的好处。

"他很棒!"

"他聪明!"

"他品性善良，有责任感。"

"他有正义感!"

也许，她还见过他最光荣的时刻。譬如说，他的才智得到认同、他是朋友之中最出色的一个、他的成就让所有人都羡慕…… 然而，单单是爱上他的光荣，那是危险的。当他头上的光环一旦褪色，她会看不起他。

她见过他最卑微、最糟糕，甚至最不堪的脸容吗?

他会因为害怕而颤抖。

他会因为受伤而哭泣。

他有很多事情都不懂，他有时很没出息。

遇到比他强壮的对手时，他会畏惧。当那人走得很远很远，他才会咬牙切齿的说："算他走得快厂曾经有机会目睹他最软弱或最糟糕的时刻，你仍然能够微笑接受他的不完美，并且和他共同拥有这个秘密，这一段爱情，才能够长久一些。

青春日子里的缺失

青春年少的日子，是应该谈恋爱的。可是，我们却为了应付考试而每天在灯下苦读。

常常收到许多中学生的来信。他们都正在面对公开考试，偏偏在这个时候，爱情也降临了。

很想很想谈恋爱，但是，因为谈恋爱而分了心，考不上大学，那怎么办？

遇到这些问题，我也只好说：

"还是努力读书，先应付了考试，然后再想其他的事情吧！谈恋爱的机会将来还有很多呢！"

其实，我多么不愿意这样回答！花样年华不去谈恋爱，难道等到一把年纪才去花前月下吗？

十几岁的时候，是应该尽情去恋爱的。然后，到了三、四十岁，当你不再像年轻时那么相信爱情，当你能够一个人过日子，也懂得享受孤独的时候，才是读书最好的时光。

这段日子，你的智慧和你的体力，最适宜在灯下读书。

十几岁的时候，血气方刚，对一切也充满了好奇，我们却要寒窗苦读。我们所走的人生，是不是有些倒转了？

可是，谁叫我们活在这个社会呢？这是一个需要功名才可以谋生的社会。读书不会致富，但是，多读点书，将来才有更多的机会。我们只好等到老一点才去拼命的恋爱，补偿我们在青春日子里的缺失。

你是什么气味的?

英国和美国的科学家指出,气味能够唤起人们感性的回忆。大脑中负责嗅觉的部分,跟记忆区域十分接近。

我的嗅觉不够敏锐,气味从来没有引起我对某年某日的回忆。我的唯一的嗅觉回忆,是男朋友身上的气味。

每个人的皮肤上都有一种独特的气味,跟一个人一起的日子久了,你会记得他的气味。你说不出那是怎样的一种气味,你只知道,那是一种不会在别人身上出现的气味。

有时候,我喜欢凑近他,深深呼吸那种独特的气味,那是我熟悉而又亲切的气味。是的,就是这种气味了。他的气味,是一种安慰。孤单的时候,我会想念他的气味。

有些女人喜欢用鼻子去嗅男人脱下来的衣服,她们灵敏得可以嗅出衣服上有没有不属于他的味道。我的鼻子没有这么厉害,我也不喜欢嗅衣服。我喜欢嗅人,喜欢那种随着体温发出来的味道。然而,分手之后,我也无法记忆那曾经熟悉的味道了。

我从来不知道自己是什么味道的。曾经有一个人告诉我:

"你身上有着婴儿刚刚喝完牛奶的气味。"那一定是因为我喝牛奶喝得太多的缘故了。

永远的拾带群

从上海回来的那个晚上，跟 L 在电话里聊天，提起一位我没见过的女士，她当年是艳名四播的。

"已经是美人迟暮了吧?"我说。

"是双倍的美人迟暮。"他笑笑说，"可是她那一辈的男人仍然为她着迷。"

"你不是说男人永远也喜欢年轻的女孩子吗?"

"我也以为是的。也许，她当年的容貌已经永远印在这几个白发苍苍的男人的回忆里，无论她现在变成怎样，他们看到的，也是年轻时的她。"

"那么，我希望你也永远记得我跟你认识的模样。"我微笑着说。

我们要从照片中寻回失落的青春;可幸的是，我们在别人的回忆里，却得享年轻的日子，而且永远不会磨灭。悲观的看，成长是一步一步迈向衰老和死亡。乐观的看，因为有死亡，短暂的人生才变得有意义。岁月匆匆，成长的日子，却彷如昨日。我仍然记得发育时乳房疼痛的感觉。妈妈说："你要穿胸罩了。"

我们几个同学躲在更衣室里，讨论哪个同学的胸大，哪个太小。更小的时候，我们在运动场玩耍，几个女孩子靠在一起，忽然有人间:"nipple 是什么?"一个混血儿的同学说:"是乳头!"我们一边尖叫一边跑开，只剩下那个同学尴尬地站着，不知道自己说错了什么。我们曾经羞于提起自己的身体，后来却变得坦荡厂，九岁的那一年，我有一只黑色的搭带鞋。我很怀念那双皮鞋，也许因为这个缘故，直到今天，每次看到搭带鞋，我还是会动心。我家的鞋柜里，便有三双搭带鞋。

人总是带着成长岁月里的一些东西走向未来的口子，那些回忆，是我们余生也会努力去寻觅和拥有的。

欲望的身体……
如果仍然怀念着另一个女人，
那请不要来爱我
因为我不会努力成为你所爱。
我们太知道了，这种事，不是努力便有用的。

苦涩的联想

谁说时间不是问题?

一个男人的条件再好，他没有时间陪 你，是多余的。爱情是不可以望梅止渴的，拿着他的照片、抱着回忆，便能度过每一天吗?

一个男人愿意给一个女人多少时间，就是他有多爱她。你不可能说:"我爱你，但 我没有时间陪你。"

你爱我的话，你是可以挤出一点时间来的。没法挤出时间，是你已经作出了抉择。

不是不体谅你，而是，当你不在身边，我会想像许多事情。你是和别的女人一起吗?你根本不爱我吗?我只是你其中一个女人吗?寂寞不是最痛苦的;想像才是最痛苦的。离开了你，便不用再对你的生活有任何苦涩的 联想。这样，我才能够有自己的生活。 既然你没有时间，我释放你吧!释放你，同时也是释放我自己。

爱情不是这样的。爱情是当你一旦爱上一个人，你上班的时候已经想着下班了。

"我想见你!"是很自然的欲望，因为你太忙，这个欲望，竟然变成卑微的渴求。

如果没法分配时间给我，请离开吧。

告别的方式

你暗恋一个男人很久很久了，他是知道的，但他没有爱上你。你再也受不住这种苦楚，你要离开了。那么，我教你一个离别的方式。

你对他说："我可不可以抱着你一会儿？"没有一个男人能够拒绝女人这样一个感性的要求。

我只是想抱你一下。

当他脸上流露惊讶和感动的神情，你已经扑在他怀里，紧紧地搂住他。

天长地久，你盼望的不就是这一刻吗？

终于可以抱他了，犹似苦尽甘来。

然后，你告诉他，你很久没有被人抱过了，你已经差点儿忘记了拥抱的滋味。说完了这一句，你可以再拥抱他多一会。

时候到了，便要潇洒地放手，让他的体温逐渐在你怀里消失。

曾经有一刻，那个人送我上车，告别的时候，我很想说："我可不可以抱你一下？"我终究还是没有勇气说出来。车子缓缓的离开，他在车外，挥手向我道别。他喜欢我，我很想还他一个拥抱。然而，羞于启齿的，为什么会是我呢？那一幕，却悠长地留在我的回忆里。

露露小姐的乳房

法国艳星露露小姐几天前被发现倒毙在自己家中，警方初步证实她是自然死亡。这位拥有58F巨乳的艳星，并不是天生便拥有骄人的身材，她先后做过十八次隆胸手术。

医生说，她身上的矽袋等于十二杯啤酒的容量。

挺着两个假东西的露露小姐，生前曾经说：

"我不喜欢现实的东西，我希望什么都是人工化的。"

大概因为这个缘故，她把自己弄成这个样子，最后更以身殉乳。她用真实的死亡来拥抱假的美好。

我们又何尝喜欢现实里的一切呢？

在我自己的杂志里，曾经访问过一位名媛。她说，她不喜欢现实的世界，她喜欢活在梦幻里，她很幸运，嫁了给一位很富有的丈夫。因此，她可以如愿以偿，活在梦幻之中，不需要承受现实的沉重。

活在梦幻之中，是多么奢侈的事？

曾否有过一些日子，你每天一觉醒来，都希望这一切是假的？又曾否有过一些日子，你每天一觉醒来，都希望自己不是做梦？现实才没那么美好。

每一天，我们也要学习面对现实。失意时、沮丧时，也要拥抱现实。我们最大的敌人，是现实。

下半身是情人

从前，是女人问男人：

"我是你什么人？"

今天，是男人倒转过来问女人：

"我是你什么人呢？男朋友？"

不，不是男朋友，是因为她已经有男朋友了。无论她身边有多少男人，只有一个可以称为男朋友。

或者，她并没有男朋友，但是，这个正和她交往的男人，还算不上是男朋友，他还没到达那个境界。

"那么，是情人吗？"男人问。

情人的称号好像有点奇怪吧？似乎只是干那回事的朋友。

"那是情人知己吧？"男人又问。

我们爱着并且和他一起生活的男人，又似乎永远不会成为我们的知己。

"是好朋友吗？"男人一脸疑惑的问。

好朋友又不会干那回事！

"难道我是你的儿子？"

不！无论年纪多大了，我们还是喜欢做男人的小女孩，我们才不要侍候一个长不大的男人。

"那我到底是什么？"男人苦恼地问。

现在竟然轮到男人想要名分。这样吧，你的上半身是好朋友，下半身是情人。

试用期的爱情

跟一个人开始了，才发觉自己不是太喜欢他。这个时候怎么办？那还不简单吗？就是赶快跟他拜拜。

你问：

"那是不是很坏？很不负责任？"

大家还没有任何承诺，怎算不负责任呢？

你又问：

"我是以为自己喜欢他，所以才开始的，所以，有点尴尬，不知道怎样跟他说。"

曾经有一刻喜欢他，这不已经是对他最大的恭维吗？

爱情也有试用期，大家都有权试用对方。既然试用期不合格，也就只好各自另谋高就了。

你又说："这样会不会不好意思？"

爱情是没有不好意思这回事的。难道你因为怕不好意思而勉强自己吗？

不喜欢一个人，那就尽快告诉他，让他能够另外找一个爱他的人，这才是最负责任的行为。不要自大狂，不要以为你会令对方很痛苦。那不过是一段试用失败的爱情，距离痛苦还有很远很远。

宁愿和你终生厮守

从前以为两个人要共度一辈子是不容易的；可是，现在愈来愈觉得，两个人要共度一辈子，并不困难。

是"共度"，而不是"相爱"一辈子，有什么难呢？

只要你不要有太多要求和期望，只要没有第三者的出现，我们准可以跟另一个人厮守终生。

不要问自己："我是不是余生也只能跟这个人在一起?"也不要问自己："三十年后，我还会爱他吗?"这样的话，你会安安分分的和一个人地老天荒。

我们离开一段长久的感情，是因为我们有太多要求，也因为我们以为自己厌倦了。两个人要天长地久，其实也不需要很多条件。大家的兴趣不用完全相同，性格也不用一样。只要有一点点的相似，又有深厚的感情，我们已经可以度过年年月月。我们需要的是一个伴儿。

当爱情不再那么浓烈，我们仍然会依恋，因为习惯了，也因为害怕。

害怕分开之后的孤单。害怕做一个负情负义的人。

于是，宁愿和你终生厮守，希望你也是如此。

他都不爱你了

要忘记一个人，也不是没有方法的。这个方法，包括外在和内在。

外在的方法，你和我早就知道了，那就是——时间。

无论你是否愿意，时间流逝，会让你忘记一个人。

内在的方法，是不要依恋。

分手之后，持续地想着对方有多么好，那样只会让你自己沉沦，愈来愈执着，也依恋得愈来愈深。

他不爱你了，不要再想着他有多么英俊。

他走了，不要再想着他有多么富有。

他不在你身边了，不要再想着他的性格多么可爱。

已经分手了，不要再想着他曾经待你多么好。

不再执着他的优点，你才可以快点忘记他。也不要执着他对你曾经多么坏，整天心怀愤恨，你便没法忘记他。

他再怎么好，都已经是昨天的事了。

我们无法忘记一个人，往往不是因为对方有多么难忘，而是因为我们有多么依恋和执着。

当你执着，连时间也要向你投降。他有什么好呢?他都不爱你了，你将与另一个人共度余生。

我不会等到那个境地

有人会说："虽然他心里爱着别人，但我会一直的等他。"

既然他爱着别人，那为什么还要等他呢?

他们回答说:

"因为爱呀!"

我永远不会等一个不爱我的人。这种等待，谁知道要等多久?谁知道会不会有完美的结局?

为一个不值得的男人等待，是浪费青春。为一个爱我的男人而等待，才是有价值的。

常常有人问："我还要等下去吗?我身边有许多诱惑。"

那你到底有多爱你等的那个人。

所有身边的诱惑是不是比不上遥远的思念?

等一个不爱自己的人，是愚蠢的。他并不知道你在等他。即使知道了，他只会怜悯你，甚至无动于衷。

我为什么要等你呢?你甚至不会思念我。

在加西亚，马奎斯所著的《爱在瘟疫蔓延时》一书里，阿里萨等他所爱的女人费尔米纳等了五十三年七月零十一个日日夜夜之遥。当他们终于可以亲热时，两个人都已经鸡皮鹤发了。我决不会让自己等到这一天。即使是等自己最爱的人，我也只能等到我的皮肤失去弹性之前。如果你爱我，你不会舍得让我等到这个境地的。

到底要多久

医生常常被病人问到的一个问题是：

"要多久？"

医生说："吃药便会好。"

病人问："要多久才会好？"

医生说："你会复原的。"

病人问："要等多久？"

医生说："你迟些便可以出院。"

病人问："要多久才可以？"

一个病复原的时间，除了那个病本身之外，多少也和情绪有关吧？虽然心中有数，我们还是想知道自己要等多久。等待，是傍徨的。

他说："我们暂时分开一下吧。"

你问："要分开多久？"

他说："我会找你的。"

你追问："你到底要我等多久？"

我们的一生，除了看病之外，又问了多少次"要多久"呢？明知故问，因为我害怕等待。是的，什么年纪都可以谈恋爱；然而，五十岁谈的恋爱，跟二十岁谈的恋爱是不一样的。五十岁的时候，找对手比较艰难。谈恋爱的期限很短暂，不要让我等太久。

我才不会当众打你

在街上看见一个女人打一个男人。她先是用手提电话扔他。电话扔中了他的额头，然后跌在地上。她跑上去，拾起地上的电话，再用皮包打他。她一面打他一面哭着骂他：

"我以后也不想再见到你这个人！"那个瘦瘦的，架着近视眼镜的男人，背贴着墙，没有还手，也没有制止她。她走了，他也没有去追。

一个男人出来行走江湖，捱女人几巴掌、几拳、几脚，都是人生必经的过程。然而，在众目睽睽之下捱打，却是另一番境况。他由得她打，那必然是他做了对不起她的事情吧？她不想再见到他，那是因为他爱上了别的女人吧？男人肯让女人打，通常是知道自己理亏。假如让她打几拳就一笔勾销的话，那倒是很便宜的。

听过一个故事，男人递给女人一把剪刀，说："你用来插我吧，是我对不起你。"女人拿着剪刀，下不了手。这么娇情的事，不知是哪个男人想出来的。

当你背叛了我，我不会插你、伤你、杀你，也不会这样对待自己。你不爱我，我们再没有任何的瓜葛。你的身体赎不了罪，我的身体，留给爱我的人。有一天，当我回忆往事，我会后悔曾经在街上打你。你和我，何必为别人演一出活剧？

用来骂负心汉的词汇

新小说里的其中一个场景，是女人痛骂负心的男人。怎么骂呢？我很想写得特别一点。可是，最后我发觉，女人用来骂负心汉的，都离不开那几句。譬如说：

"你是个骗子！"

"你为什么要这样对我！"

"我真的后悔遇上你！"

"我不要再听你解释！"

"我不会再相信你！"

"我现在才看清楚你！"

"我为什么会爱上你这个人呢！我太蠢了！"

"你说话呀！你为什么不说话！"

"从今以后，我不想再见到你！"

"我觉得你很恐怖！我为什么会和你这种人睡觉呢！"

"衰人！"

"贱格！"

"你去死吧！"

被背叛的时候，谁还有心情琢磨字眼？最贴切的，便是那几句，而内容也离不开几个范畴，主要是：

有眼无珠、衣冠禽兽、人类渣滓。

被背叛的次数愈多，你愈能够背诵如流。

与次选漫游

当首选的对象落空时，我们往往会把爱和时间分给几个次选。

既然得不到自己最想要的那个，那么，倒不如分散投资。他们爱我比我爱他们多。爱情没意思，心灵空虚，只想周旋在几个奉承我的男人之中。

可是，装得如此潇洒和任性的女人，却并不快乐。

我们本来想分散自己对某个人的爱和想念；然而，在分散的过程中，我们却更渴望整合。原来，感情是没法分散的。我们愈是努力忘记，我们反而愈渴望得到一个完整的人。

几个人是没法代替一个人的。一个人，方可以代替另一个人。与其努力把时间分给几个你不爱的男人，倒不如收拾心情，找一个自己喜欢的。不要期望在分散投资之中能够找出一个最好的。能让你分散投资的男人，通常也不值得你只爱他一个。当你在分散投资，人家也会如此。你也不过是他其中的一个吧。好的男人，才不肯成为众多候选人之一。这种爱情，太没尊严了。

同时和几个次选漫游，只能暂时疗伤。时间太多，心灵太寂寞了，才好出此下策。想用次选来忘记伤害你的那个男人，你会痛苦地发现，无论他有多坏，他始终是你最想念的。

不要怀念她

你爱的那个男人，心中永远怀念着另一个女人，这种爱是很痛苦的吧？

虽然他爱你，但是，你知道，在他生命中，他最爱的是另一个人。他们已经分手了，也许，她甚至已经不在人世；可是，她始终是最刻骨铭心的。

你永远没法胜过一个死去的人。然而，即使是活着的，你也胜不了。这样子的爱，是不完美的。

每个女人都希望成为男人心中最爱的女人。无论他爱过多少个女人，他最爱的始终是你。当你们一起，他不会怀念着另一个人。假如他一生最爱另有其人，我宁愿不爱他。

在这个层次上，爱是自私的。他也不可能接受我最爱的是另一个男人吧？

我们可以接受一个有过去的男人，我们何尝没有过去？然而，当他选择了我，他最爱的人便没理由不是我。

我为什么还要跟另一个女人抢他？

那个女人永远深深地刻在他的回忆里，那我会放弃。这样去爱一个男人，实在太累了。他这样念旧，那为什么不回去那个女人身边？这种爱，我不稀罕。

如果仍然怀念着另一个女人，那请不要来爱我，因为我不会努力成为你心中的最爱。我们太知道了，这种事，不是努力便有用的。

我要我自己

我们在人生每个阶段都会转变。情意也会转变。一段感情里，往往会有三个转变：

"我要你。"

"我要一点空间。"

"我要我自己。"

热恋的时候，我要你，每天都想见你，我什么也不害怕，就怕失去你。

然后，我开始想要多一点私人空间。你不是不好，但是，见面太多，我会有点厌倦。天天都跟你一起，我有时会有窒息的感觉。

后来，我不但想要一点私人空间，我更想要多一点的自由和自我。我不用常常与你一起，我有我的朋友，我有我的工作和嗜好。其实，我可以没有你。

在"我要你"的那个阶段，我们是多么的狂烈?大家都以为不能没有对方。时光流转，我们都知道，我们是两个个体。那种亲密的感觉好像一去不回了。

感情的消逝，便是由"我要你"走到"我要我自己"，既然我要的是我自己，我们分开吧。

然后，我或你又会找到一个自己想要的人。某天，我们又渴求一点空间。最后，我要我自己。

如果我在这转变之后太孤寂了，发觉你对我太重要了，我想，我还是会回头说："我要你。"

不要整赖着不走

当你的上司跟你说："我很不满意你的工作表现，你走吧！"你会不会说："但我很满意你，我不走！"

谁也不会这么厚颜吧?

然而，当你的情人对你说："我觉得我们合不来。"你却会说："我不觉得我们之间有什么问题。"

不要笑，我们大部分人都是这么无赖的。对方提出分手的时候，我们只会反过来说："你到底有什么问题?好吧！好吧！不是你有问题，是我有问题，但我没有不满意你。我不走，不要赶我走！"

老板叫你走，你不可能坚持继续每天上班，继续坐在自己的位置上工作。他会以为你神经病，叫警卫把你抬出去。情人叫你走，你却会继续"上班"，继续在他面前出现，因为他没法叫警卫把你抬走。

当你这样做的时候，有否想过自己等同一个被公司辞退了却坚持要上班的傻瓜?

人家不要你了，你很满意他，是你阁下的事。你不能够代他相信他也满意你。

不满意就是不满意，到了这个地步，已经没有可能变回满意了，那你就不要赖着不走。

是成全呢？还是不成全？

谁不知道爱应当是一种成全?可是，做起来却不容易。

《花生漫画》的其中一张，查理·布朗一边吃薯片一边流着泪说："爱是她快乐，我也快乐，但这是不容易做到的。"

"所谓成全，是包括接受自己不是他的最爱，也不是唯一。"

成全他去找寻梦想。那就是说，他爱他的梦想比爱我更多。

为了成全他，只好接受他离开。他离开了，怎知道他会不会爱上别人?也许，有一天，他会爱一个比爱他的梦想更多，但那个人不是我。

为了成全他，也和别人分享他。

爱一个人，是拥有呢?还是不去拥有呢?

能够和别人分享的人，是不是爱得更深一些?

即然他没法离开那个人，他两个都爱，那我也愿意和另一个人分享他。最好的爱，当然是只有两个人，无可奈何，才接受三个。接受了，才知道分享比独占需要付出更多，那是不容易做到的。

你也许能够为所爱的人舍弃生命，却不能够成全他去爱别人。千古艰难的，不是一死，而是成全。

爱上两个脑袋和身体

有人问，同时爱着两个男人，但只能跟其中一个人结婚，那怎么办？

那么，就不要结婚好了。

不结婚的话，仍然可以爱着两个人。结婚毕竟是一个共同生活的承诺，既然无法只爱他一个，那就不要跟他结婚。

当你觉得自己的年纪够大了，不结婚不行，那个时候，你才去结束其中一段感情吧。恋爱的对象跟结婚的对象是不同的，你心里知道，有些男人是比较可以结婚的。

谈恋爱的对象，可以不懂照顾你。但是，跟你结婚的那个男人，最好能够照顾你吧？谈恋爱对象可以充满激情。你们两个，光是坐下来谈自己的梦想也可以谈一整天，然而，结婚的对象，也许没有共同的梦想，却是生活的伴侣。

一个脑袋也许能够爱上几个脑袋；一个身体，也可以爱上几个身体；然而，同一个时空里，只能够有一段合法的婚姻。那么，结婚来干什么呢？

当你甘心情愿放弃其他一切，你才去结婚吧；但是，千万不要用结婚来逼自己放弃其他一切，那会使你对婚姻的期望太大。

性欲因爱而获得了尊严

小时候,我们偶然听到妈妈说,某某的女儿跑去跟别人同居了,真是可惜!在她们那一代,同居几乎等于私奔,那是不自爱的行为。当我们长大了,已经有很多人在同居,但是,只有很少人会坦白承认自己在同居。后来,更多人同居了,我们再不害怕承认自己正幸福地跟一个男人共同生活,也一起分担生活里的喜乐和忧伤。我有一位朋友,当她跟男朋友同居时,她妈妈很不高兴。后来,她失恋了,伤心欲绝,一个人搬回家来住。她天天在家里哭,那个时候,妈妈大概宁愿她跟同一个男人同居了。

张爱玲说:"婚姻是男人对女人最大的礼赞。"这是张爱玲那一代的看法吧?最大的礼赞是爱。

教堂里的婚礼,不知道感动了多少心灵。牧师说,将来无论疾病和痛苦,你也要

照顾你的妻子丈夫。这是多么神圣的盟誓?后来,又有多少人打破了这些盟誓?同居的男女,也许比任何人更相信承诺。这是一份没有契约的爱,要走的话,随时可以走,我却因此学会了珍惜和付出。我们不相信婚姻,但是,我们相信爱情和承诺。

从前,人们回避同居的问题,同时也是在回避婚前性行为。今天,有谁还会那么虚伪?我们住在一起,也睡在一起。性是爱的延伸,美国哲学家马库色(H. Marcuse)说的,"性欲因爱而获得了尊严。"我为什么要感到羞耻呢?

旧时的社会,做妈妈的会跟女儿说:"你肯跟一个男人同居,他便不会跟你结婚了!妈妈,我就是不想结婚呀!我只想我爱的男人睡在我身旁,直到天亮。

擦过你的脸

男人身上有一样东西，它有时长，有时短。有时可爱，有时可恶。有时你想要它，有时你不想要它。它有时把你弄痛，有时又让你觉得很舒服。你喜欢用手去捏它，用脸去擦它。这个东西，女人身上是没有的。

我说的是胡子。

最难忘的是清晨的胡子。一夜之间，男人的新胡子又长出来了。他搂着你，用胡子使劲地擦你的脸，吻你的舌头。你尖叫："你的胡子弄得我很痛! 很痛!"

他一边说"对不起"，一边却很欣赏自己这种粗犷。你的脸给他擦红了，生气地说："以后你一定要刮了胡子才可以吻我!"

到了晚上，他刮了的胡子还没有重新长出来，这个时候，跟他擦脸是最舒服的。那些短胡像一个柔软的刷子，替你的脸按摩。

他的胡子，仿佛也带着他的气味。

恋爱的时光里，我们享受着男人粗暴而又温柔的胡子。思念他的时候，总会怀念他在无数个清晨里那些把我们刺痛的须根。曾经给他擦红了的脸，期待他再擦一遍。当爱流逝，他的胡子也擦着另一个女人的脸了。听说，失恋的男人会躲起来不刮胡子，他们也是悲伤地怀念着那张给他们擦过的脸吧?

吻一个你不爱的人

我们吻过的人，我们不一定爱他。

吻他的时候，我们以为自己是喜欢他的，然而，我们很快便知道，我不喜欢他。不讨厌，但是也不至于应该吻他。如果可以的话，我们想擦掉那个吻，宁愿自己从来没有吻过这个人。

既然不爱他，为什么又吻他呢？也许，那一刻，我们太寂寞，太任性了。

跟他约会了几次，觉得是时候接吻了；吻过了，却一点也不回味。

有时候，是当时的气氛令你很想吻对方。就在那电光火石的一秒，你很想接吻。只要他没有口臭，他的牙齿还算整齐，你愿意吻他。可是，当他的手不规矩，你立刻便后退了。

谁不希望自己吻过的人都是自己所爱也爱自己的？

只是，有些事情，并不是尽如人意的。

如果时间变换

有时候，我们会想，如果时间变换，或许，我会爱上这个人。

他出现的时间太早了，我不懂得欣赏他。若干年后，当我成熟了，当我的经历多一点，或许，我会喜欢像他这一类人。

然而，许多年过去了，我们才知道，即使时间变换了，我还是没法爱上这个人。从前不会，现在不会，将来也不会。

那个时候的想法，委实太天真了。自己不爱那个人，偏偏又安慰自己，也安慰他说："只是时间不对罢了！"

这都是骗人的。要是我爱你，时间也要为我改变。

当我们说时间不对的时候，是我爱这个人，而我身边或他身边却已经有另一个人了。

时间变换了，我们早一点相识，一切便会不同。

历史不可以改写，那么，将来有一天，他身边的那个人，或我身边的那个人消失了，换了光阴，换了地方，说不定我们可以厮守。

对时间感到遗憾，是因为我们相爱。

遇上自己不爱的人，而他偏偏那样好，只是有点可惜而已，没有什么遗憾。

对不起，老实告诉你，时间变换，我还是不会爱上你。

第三层牛奶

男人跟女人说:

"算了吧, 我只是第三层的牛奶。"

我好奇, 什么是第三层的牛奶?

原来, 第一次榨出来的牛奶是最浓郁的, 是花奶。再榨出来的, 拿去做乳酪。最后一次榨的, 是最稀的, 就是我们喝的鲜牛奶。

他自嘲是第三层的牛奶,因为他喜欢的那个女人把他放在第三位。

第一位, 是她的旧男友。

第二位, 是她的工作。

第三位才轮到他。

她对旧男友念念不忘。

分手好几年了, 她仍然深信他是她遇过最好的男人, 没有任何人可以代替他。她也不会让任何人进入她的内心深处。

为了把他永存在自己心里,她把大部分 的精力和时间都放在工作上。

这样的话, 便不会有任何男人可以取代他。她天真地相信, 她要努力的闯出名气, 有一天, 旧男友会在报纸上看到她的名字。

那个时候, 她也许已经贵为某集团的总裁了。

至于这一位"第三层牛奶", 当她寂寞时, 她会想起他。

是个聊天和谈心事的好对象。她很清楚他的心意, 但他终究不是她想要的那个人。

谁不渴望成为花奶和得到花奶呢?沦为第三层牛奶和只能得到第三层牛奶的人, 同样悲苦。

信, 她要努力的闯出名气, 有一天, 旧男友会在报纸上看到她的名字。那个时候，她也许已经贵为某集团的总裁了。

至于这一位"第三层牛奶"，当她寂寞时，她会想起他。是个聊天和谈心事的好对象。她很清楚他的心意，但他终究不是她想要的那个人。

谁不渴望成为花奶和得到花奶呢?沦为第三层牛奶和只能得到第三层牛奶的人，同样悲苦。

有时笨，有时不笨

男人有时是很笨的，他们往往不能够明白女人的心意。

分手的时候，你哭着说：

"我以后也不想再见到你，你给我滚!"

他听了，就真的滚。

他搂抱着你，你推开他说：

"你放手，你不要碰我!"

他竟然真的放手。

你说："我不想再听到你的声音!"

他真的不敢再打电话给你。

你说："我们分手吧，以后也不要再一起了。"说这一句话的时候，你看似决绝，其实也不是那么决绝的。只要他再求，你也许会心软。然而，他垂头丧气地回去之后，便真的不敢再找你。他以为你真的要分手。

本来，你是徘徊在想分手和不想分手之间的，结果也唯有分手。

如果他不是那么笨，结局也许会不一样。面对他所爱的女人，他难道看不出事情还有挽救的余地吗?

当然，他们也不是太笨。要是你说："你去死吧!"他们才不会去死。这个时刻，他们非常的聪明，知道你不是说真的。

狡猾的沉默

男人做了对不起女人的事情时，他们最擅长的便是沉默。

你说了要分手，他来找你，是想你回到他身边的吧?然而，他站在你面前，却一句话也不说，那他来干什么?他站在这里，就是道歉吗?结果，是你首先忍不住问他:

"你来干什么?"

他沉默着。

终于，你忍不住骂他。他也是沉默，只懂望着你。

最后，你忍不住向他咆哮:

"你说话呀! 你为什么不说话!"

他仍然像木头一样站在那里，一动不动。

男人道歉和内疚的方式，原来就是沉默。

事实上，他也没什么话好说。

"对不起"是陈腔滥调。

"我爱你"太肉麻。随便说一句话，刺激了面前这个歇斯底里的女人，更有可能获得一巴掌的待遇。所以，最聪明的还是不要说话。

沉默，也是一种进攻。狡猾的他，会用身体来说话。看到女人哭得力歇声嘶，他就乘机用力捞抱着她。她推开他，打他，他捱打也不放手。厚脸皮的他，终于制服了她。

整个过程，他甚至不用说一句话。这是多么便宜了他?

你的"分手权"

女人说:"是我提出分手的,是我不要他的!"

是她不要他,还是他不要她,又有什么分别呢?

见惯世面的男人,总是会很巧妙地把"分手权"留给女人。

是他首先不想要你,但他会把决定分开的权力交给你。表面上是你要分手,事实上,大家也心知肚明。

他开始不理你。周五和周末也不陪你,甚至连续两三个星期都推说工作太忙而不见你。你还不明白他已经变心了吗?

大家住在一起,但他近来常常很晚才回家,回家之后便倒头大睡。他已经一个半月没有碰你了。你认为这是什么意思呢?

你们很久没聊天了。

他愈来愈不关心你。说话的时候,他甚至不会望着你。你不是这么笨吧?他开始对你吝啬,不舍得陪你去旅行。他开始经常批评你、你的家人和你的朋友,还有你的尊容。

这一切一切,不是已经很明显了吗?

"决定权"在他手里,你只拥有那个聊胜于无的"分手权"。

把女人教坏

许多人说，女人是给男人教坏的。也许，有些女人的确是被男人教坏的；然而，大部分的女人也是给女人教坏的。

十来岁到二十来岁的日子，朋友的力量是最大的。闺中密友对爱情和性的态度，往往会影响我们在这方面的态度。

你有一个感情很随便的好朋友，那么，你也会开始认为感情是不必太认真的。

你有一个很滥交的好朋友，你以为你就不会被她动摇吗？你的好朋友往往用金钱来衡量爱情，你以为你不会渐渐相信她的那一套价值观吗？

你有一个喜欢玩弄爱情的好朋友，你不会看得心痒痒吗？

年少的日子，我们的想法常常被身边的朋友左右。然后有一天，当我们遇到一个好男人，我们才会醒悟。我们要很吃力才可以摆脱一个好朋友的影响，那一刻，我们才知道，我有自己的人生，不需要什么也跟我的好朋友一样。

把女人教好的，往往是男人。

把男人教坏的，当然也是男人。

不聊天也可以

收到水瓶鲸鱼从台湾快递来给我的《失恋杂志》，那是她编的一本季刊书。书里收集了网友写的故事。水瓶鲸鱼在篇首说了一个关于她朋友的故事。这个她形容为容貌才情都出色的女人告诉她，她谈恋爱了。她说："让我感动的是，上完床之后，他说："我们来聊聊天吧。"那时候我差一点哭了出来，居然，居然，有男人不是一看到我就扑上床，事后就翻身睡去，他居然说要跟我聊天……"

女人认为，在事后还肯跟她聊天的男人才是爱她的。

也许，最让女人伤心的，不是上完床之后翻身睡去，也不是聊了几句便打呼噜的男人。最令她难受的，是事后穿上裤子回家的男人。

她可以找很多理由替他解释，譬如说：他明天要早起、他今晚上还有工作要做、他在这里睡不惯……然而，她心时知道，他是回去别的女身边。他永远不可能在这里过夜。有时候，明知道不可能，她还是会问：

"今天晚上可不可以不走？"

当他起来穿裤子，她哭着骂他："你把我当成什么人？你做完了就走！"

原来，他上床之后疲倦地睡到天亮，或者快乐的打着呼噜，已经是多么的幸福？聊不聊天，已经不是最重要的。

用来杀死妻子的胸罩

两名英国女子在伦敦海德公园的一颗大树下避雷，不幸被雷电打中死亡；导电体正是她们身上所穿的钢丝胸罩。那两个钢丝胸罩有烧焦了的痕迹。

外国女人的胸部比较丰满，只有用钢丝胸罩才可以把胸部承托得好一点和美一点，反而香港女人不是人人都要用钢丝。事实上，现在许多胸罩已不用钢丝，而是用合成树脂。假如钢丝胸罩会导电，那么，身上的金牙或皮带扣不也是同样会导电吗？只是，女人为胸罩而死，太悲凉了。

从此以后，男人杀妻，又多了一种方法。就是尽量鼓励老婆用钢丝胸罩，期望她有一天会被雷打中。假如她那些胸罩里的"钢丝"是合成树脂，那也不是没办法的。男人可以偷偷把胸罩里的树脂拿走，然后换上钢丝。遇上行雷闪电，立刻带老婆到郊外空旷的地方去，尽量站在树下避雷。当然，他千万要记得脱下自己身上的金属皮带或金牙，否则，被雷打中时，他和她只能成为同命鸳鸯，休想摆脱她。

好的，我要写一千这样的故事：企图杀妻的男人每晚偷偷把老婆那些胸罩里的合成树脂换成钢丝，可惜，她有一百个胸罩，还在不断买新的。他一辈子也换不完，就这样跟她过了一辈子。

再也无觅处

有些东西，一旦消逝了，便再也无处寻觅。

消逝了的友谊和爱情，也都是这样的。你曾经和一位朋友很要好，后来，大家的人生不同了，见面的次数愈来愈少，甚至不再往来了。一天，你忽然想起，你们曾经有一段日子是差不多天天也在一起的呢！今天，即使再见面，也不会像从前那样无所不谈了。原来，人在每一个阶段，也有不同的朋友。友情悄悄消散了，也就再找不回来。

爱情何尝不是这样？曾经很爱一个人，有一天，不再爱了，各自的生活。然后，你找不到任何爱过他的痕迹。你是根本从来没有爱过他的吧？大家不是曾经爱得死去活来的吗？

有一天，你在街上碰见他，你甚至连打招呼也不愿意。从前为什么会爱上这个人呢？一定是那时太年轻、太笨，也太不了解爱情。

曾经渴望与一个人长相厮守，后来么庆幸自己离开了？

曾经付出的深情，再也无觅处。

脚踝上的铁球

有些男人专制得令人难以想像。他要求女朋友时时刻刻向他报告行踪，而且要知道她跟谁在一起。她跟其他女人在一起的话，他担心那些女人会把她教坏。她若跟一个男人在一起，即使只是同事，他也会非常不满。

如果可以的话，他想把一个铁球挂在她的脚踝上。当她受不了他的管束时，他又会温柔而深情地说：

"这是因为我太爱你。"

起初的时候，女人是会感动的，因为有一个男人爱她爱到这个境地。那一刻，她觉得自己是他的公主，每分每秒都被他看顾着。

可是，他管她管得愈来愈厉害。她下班后和朋友去看电影，忘了给他电话，结果，她事后要向一脸怒气的他道歉和解释。她想在工余进修，充实自己，他强硬的反对，怕她会在班上认识其他男孩子。

她开始觉得窒息了。毫无疑问，他是爱她的吧？但是这种爱会有将来吗？

对一个人的专制，与其说是爱，不如说是妒忌。妒忌的男人，时刻要肯定自己的女人是对自己忠实的。他不关心她，他只想知道她有没有背叛他。她不是他的公主，她是他的囚犯。是谁在坐牢呢？是牢里的人，还是看守牢房的人？

男人的经前综合症

男人在女朋友面前向我诉苦："每个月有几天，她会忽然发神经！她会无缘无故的哭起来、情绪低落、骂人，甚至蛮不讲理的打人。看来我要等她到了更年期才会有好日子过。"

他女朋友说："是呀！每个月的那几天，我就会变得很暴躁，我也不知道为什么。"

女人每个月的那几天，生理和情绪都起了变化。我们叫 PMS，或"经前综合症。"当然，你也可以因应自己的情况而称之为"经前躁狂症"、"经前暴力症"、"经前骂人症"等等。

在那几天里，有人会肚痛、有人会头痛，也许，更多人担心的，是："这个月到底会不会来？"

罪魁祸首，就是那个男人，不找他出气，还可以找谁来出气？终于来了，松一口气，然而，胸部胀鼓鼓的，肚子又痛，很想找人骂一顿，他是她最亲密的人，不找他来骂，还可以找谁呢？

渐渐，男人也有了 PMS。差不多时间了，是这几天了，那就最好不要惹她，不要自找麻烦，过了这几天，才对付她。

你可以爱我

二十岁、的时候，我们总以为自己的将来是简单而幸福的。我们问自己爱的那个男人：

"将来你会娶我吗?"看见他点头，我们感动得掉下泪来。

二十五岁的时候，我们身边换了另一个男人。当他问：

"你会嫁给我吗?"

我们只是微笑看着他眼睛的深处。这个问题太傻了。谁知道将来的事呢?我们想起，在更年轻的时候，我们不是也问过身边的男人类似的问题吗?原来我们也曾经这么傻。

三十岁的时候，我们身边又换了一个人。可是，我真的怕他向我求婚。除了爱情，人生原来还有很多值得珍重和值得我们为之奋斗的东西。我才不要结婚、生孩子，然后带孩子，这不是我要走的路。

三十五岁的时候，忽然有人向我求婚，我会微笑着说："现在这样不是很好吗?"

四十岁的时候，我们重新去反省，到底什么是爱?我爱你的话，我会给你自由，让你也去爱其他人，只要你最爱是我，我便会感到幸福。

五十岁的时候，母性发作，真的希望有一个年轻小伙子问我："你会嫁给我吗?

我不嫁给你，但你可以爱我。

男人的童年秘密

曾经听过一位男同事说，他小时候把一只猫藏在一个麻布袋里，然后扔到海中。回忆这些残忍的事情时，他还一脸得意洋洋。

那一刻，我就知道，这个人绝对不能交朋反。后来，又听到一个男人兴高采烈的告诉我，他怎样用一根棍子打死一只老鼠。男人童年时是不是都喜欢欺负和残害小动物的？

他戏弄一只猫，拿走它的饭。他用脚踢小狗的屁股。他们拿猫猫狗狗或兔子来做一些小实验。

长大之后，当他爱上一个喜欢小动物的女人，他不敢告诉她，他小时候曾经怎样欺负小动物。这是他藏在心中的秘密。一天，他一时高兴或一时不小心说了出来。看到女人脸上惊慌和愤怒的神情，他连忙为自己解释："当时还有其他人呀！"那些比较聪明的人，会把这个秘密永远埋藏在心中。他并不内疚，也不会忏悔，他会说："有哪个男孩子小时候不顽皮呢？"一天，当女朋友问他："你到底有没有虐畜？"

"当然没有！"他撒谎。

她引诱他："你说出来吧！我不会怪你的。"

"是的，我有。"他坦白承认。

她生气的问："你真的虐畜，是什么小动物？"

"就是你呀！"他说。

藏在心底的说话

有时候，我们很想跟一个人说一些心底话，但不知道怎样说，于是，我们决定迟些找个时间或者机会去说，也许，下星期吧。

可是，当我们还没有说出来，事情已经改变了，再说也没意思。你曾经有过这种遗憾吗?我是有的。

跟朋友因为一些事情闹意见，那几天我正在忙着写小说，我横蛮地说："我现在不想讨论这些事情！"

当时他说："那好吧，过几天再说。"

写完小说之后，我的心情也好了。我仔细的把事情想了一遍又一遍，我不得不承认，他是对的。我太自私了，没想过他的难处。我想，过几天大家见面的时候，我要告诉他我的想法，我要向他道歉。然而，大家见面的时候，碍于尊严，我终究没有承认自己不对。我想，下次见面的时候再说吧，下次的时间也许会充裕一点。

只是，还没等到下次，事情已经起了变化。这个时候，如果我说出我的想法，他会相信吗?他一定会认为是事情发生了，我才会这样维护自己。无论我说什么，也不能改变事实。

我们总是喜欢把说话藏在心底；为了尊严，也许还为了许多愚蠢的理由。

不要讨厌自己

有人问"你讨厌自己吗?"

我为什么要讨厌自己呢?我从来没有一刻讨厌自己。我曾经讨厌现实、讨厌身边的人、讨厌我爱过的人;可是,我不讨厌自己。

我可以避开我讨厌的人。然而,无论我多么讨厌自己,我每天还是会从镜子中看到自己,我还是要跟这个我长相厮守。那样的话,讨厌自己又有什么意思呢?倒不如努力去喜欢自己。

讨厌自己的话,什么事也做不成。若我不被人所爱,并不是我讨厌。若我没有成功,也不是我讨厌。一个惹人讨厌的人,是因为他做的事情太讨厌。

讨厌自己,是多么的悲凉?

那人说:"没有讨厌过自己的人,是幸福的。"

她是讨厌过自己的吧?

我也有不喜欢自己的时候,但是,那还不至于讨厌。永远不要因为别人对你所做的事而讨厌自己。

叫床的权利

每天负责唤醒自己暗恋的人起床，这是一项很甜蜜的任务吧？

你不是睡在他身旁，而是每天早上用电话把他唤醒。他常常迟到，家里的闹钟对他一点作用也没有。于是，有一天，你自告奋勇的说："我每天早上打电话叫你起床吧！"

他说："不好意思的——"

你连忙说："没关系！反正我自己也要起床！"

假如你们是同事或同学，那么，这件事就变得更理所当然了。

获得了叫他起床的"叫床权"之后，你的每一天，都变得饶有意义。晚上睡觉的时候，你调好闹钟，提醒自己，明天一定要准时起床，然后叫醒他。因为明天早上能够听到他的声音，你每晚也睡得特别甜。

第二天早上醒来，首先要做的事，便是拨一通电话给他，说"起床了！不要再睡！"

十分钟之后，又再拨电话给他，确定他已经起床了。

虽然不是睡在他身边，但他每天张开眼睛听到第一把声音，是你的声音。即使那天你很累，甚至生病了，你仍然会吃力地爬出被窝打电话给他。你是一个永远不失效的人肉闹钟。

这么细密的心事，他什么时候才会看出来？

他唯一不会要你做的事

有些女人是执迷不悔的。她爱上的那个男人，并不爱她，她却愿意被那个男人差遣。

她是这个男人的免费秘书、管家、菲佣、信差，甚至是自动提款机。那个男人虽然不爱她，却又喜欢贪小便宜。他想："既然她喜欢我，为什么不叫她替我办事呢？"他并不觉得自己无耻。他会反过来认为那个女人是很愿意替他做事的，她想借此接近他。既然是自愿，那就与人无尤了。

他会毫不客气地吩咐这个可怜的女人做任何事情。譬如是：替他买机票和订酒店；但是，他当然不是和她去旅行。他会把自己在公司里做不完的工作拿去给她做。他会要她帮他做家务、遛狗、送信、陪他妈妈看医生、交税、换领驾驶执照等等。总之，什么粗重的工作也要她来做。

女人为他做了这么多的工作，当然希望有回报。她一次又一次羞涩的问他："今天晚上有没有时间陪我？"他每次也会找许多借口来推搪。当这个女人埋怨工作太多，他会凶巴巴地骂她："既然你不想做就别做了！又不是我要你做的！"她噙着泪水说："那我不做了！"那么，他又会连忙安抚她，勉强陪她吃一顿饭。

他唯一不会要她做的，是陪他睡觉。

甜蜜和悲哀的跟踪

你曾经跟踪别人吗?

是甜蜜的跟踪,是跟踪自己暗恋的那个人。你没勇气向他表白,那么,唯有在下课之后,悄悄的跟踪他回家。

你只敢老远的跟踪他。一面走,一面害怕他会忽然回过头来,发现了你。他回家了,你一个人在他的家外面徘徊,然后,踏在他的足迹上,再走一遍他刚才走过的路。

晚上睡觉的时候,你依旧甜蜜的回忆他的背影。

第二天下课之后,你又悄悄的跟踪他。

这些日子不知道过了多久,直到你绝望了,或者,你爱上了另一个人。

最悲哀的跟踪,是跟踪已经分手的情人。

本来应该各有各的生活,互不相干了。

你假装潇洒,却根本不愿离开。一天又一天,你悄悄地跟踪他,想看看没有你之后,他会去哪些地方,找哪些朋友?

你一面跟踪,一面痛恨自己。为什么还要爱他呢?为什么会卑微到这个地步呢?他没有什么好呀! 你一面叫自己不要再跟踪他,一面却死死地跟在后面,小心翼翼的,生怕被他发现了。

到底这样子的跟踪要跟踪到什么时候?也许,是要等到他爱上了别人。

坏的品味，也是好的

有一年，跟Y和S在尖沙咀吃晚饭。饭后，在弥敦道一个流动小贩的摊子上看到许多别致的胸针。我买了一个"爱"字的胸针。她们制止我，但我不理，坚持要买。

后来，S笑着跟我说："Y说，如果你把那个胸针挂在身上，我们才不要跟你一起逛街。"

我根本没打算要把那个胸针挂在身上。那一刻，不理好朋友的劝告，坚持要买一个那么老套的胸针，大概是因为正在热恋吧？

心里有爱，爱着别人，也被别人爱着，整个世界好像都充满了爱；看到"爱"这个字，双眼也会发光。所以，明知道自己不会用那个胸针，仍然买了下来，因为我喜欢爱，也在感受爱呀！

回家之后，我把那个胸针放在案头上。那个"爱"字，是用许多颗假宝石嵌成的，造形很丑，很粗糙。然而，每次看到它，我会打从心底里笑出来。那时候，我告诉热恋的情人："她们说，如果我挂上这个胸针，她们拒绝和我一起外出。"

他听了，微笑不语。

有些东西，和品味完全没有关系。你喜欢它，是因为一些可爱的理由。坏的品味，幸福的心灵，为什么不可以呢？

爱情的感觉

女孩子问："什么是爱情?什么是感觉?"

你认为爱情是什么便是什么。你感觉到便是感觉到。别人没法给你答案。

什么是爱情，难道是能够用三言两语去 解释的吗?每个人的爱情都是不同的。每个年纪所相信的爱情也是不同的。你认为那是爱情，那便是爱情。比方，有人认为单恋不是爱情，因为爱情一定是双方的;可是，单恋的人却认为这是一种爱情。什么是爱情，我 们无需要去跟别人争辩和解释，就相信你们相信的吧!

至于感觉，那就更加个人化了。假若有 一个人跟你说，他对你再没有感觉了，你也 不会问他:"什么是感觉?"相爱的时候，两个人的感觉是多么的相似?不爱的时候，感觉也流逝了。从此以后，我们再也感觉不到对

方感觉的一切。没有感觉了，也就再不是爱情，连感情也不是。

什么是爱情?你要用你的人生去换答案。有人换到，有人换不到。爱情不是科学，它没有一个标准的答案。

什么是感觉?那是我们捉不到的东西。它要消失的时候，我们也留不住。然而，当它降临的时候，你也没办法抵挡。

没有声境的日子

当你所爱的那个人不在你身边，原来整个世界也会变得寂静。

习惯了每天听到他的声音，这几天听不到了，虽然生活还是跟平常一样，但是，四周都好像变得太宁静。

习惯了每天都见到他，现在，他在远方，虽然还能透过电话线听到他的声音，透过话筒接到他的吻，可是，终究是不一样的。他的声音，犹如空谷回音，太孤寂了。

他在的时候，常常跟他吵嘴，老是受不了他的缺点。生气时，甚至会说："我不要你了广然而，当他不在身边，连个吵嘴的人都没有，你只能在寂寞的深夜里听到时钟的滴嗒声，那些声音多么的空虚?

当他空闲的时候，你没时间陪他。你有太多的工作要做了。即使有时间，也没心情。勉强跟他吃一顿饭，却心不在焉地想着工作的事，只想快点把面前的东西吃完。当他埋怨，你也只是说："我也是为了工作呀厂然而，当他不在身边，你有很多时间，却提不起兴趣完成手上的工作。为什么不好好利用这段时间呢?你忽然宁愿他在你身边埋怨你不陪他。他不在的时候，太寂寥了，连生活的节奏也好像停顿了。要等他回来，你生活的时钟才能够回复正常，你的世界，才有声音。

永恒之花

看到报纸的报道，一种真空的鲜花推出市场了。这种鲜花技术八年前在日本试验成功。日本新娘认为能够永远保持出嫁时手持的一束花，便会带来幸福。所以，制造商用真空凝干技术将鲜花放人抽真空的钟形瓶子内，并注人防氧化气体、干燥剂和特殊气体，鲜花可以保持十年，色泽不变。

这不就是永恒之花吗?可惜，在香港买到的，是已经制成了的永恒之花。你可以选择不同的款式，却不可以把你最想留住的那束花变成永恒。

如果可以留住，你想留住哪一束花?

除了花之外，所有曾经新鲜的东西，包括人，也可以用技术永远保存。

我想保存一片生日蛋糕，纪念一个快乐 的生辰。也许，还保存一颗巧克力，留作永 远的回忆。

然而，无论我们可以把一样东西保持多久，我们也不可能永远拥有它。人是无法永恒的，永恒之花或者永恒的蛋糕，比它的主人活得长久，也就失去了意义。

生命中的美好、回忆的珍贵，正是因为我们永远无法留住片刻的时光。照片或录影带，只是一个记录，永不会重演。人若能够把——切新鲜的礼物留下来，便失去了回想的幸福。

排毒美颜佬

近年流行排毒。排毒的产品琳琅满目。女孩子差不多都试过几种排毒的方法。

A说，吃了某品牌的排毒丸之后，满脸暗疮。以为排毒是排出体外，没想到竟排到自己脸上来。

B说，多吃蔬菜水果便可以排毒。

不相信排毒的C说，你三天不吃东西，什么毒也排得干干净净了。

为什么她们没想过找个男人来排毒呢?这个方法既省钱又不用担心会吃下致癌物质。

一个好男人应该具备排毒和美颜两种功效。他的爱能够把你整个人过滤，把你的心灵洗净。你过往所受的情伤得到抚慰。你本来不再相信爱情，他让你重见希望。你向来没有自信，他令你懂得欣赏自己。你心里本来有许多妒忌和怨恨，他使你变得宽大和慈悲。他怀抱理想，让你也能够看得更远。因为爱的缘故，你是如此澄澈。

当所有毒素都排出体外之后，你自然会从心里漂亮起来。一个女人的容貌应该由男人来负责。最好的美颜活肤品，便是幸福。

如果你已经有一个"排毒美颜佬"，恭喜你!世上没有一种排毒宝抵得上一个排毒佬。

百分之三的假

现在已经没有太多人会写信了吧?

有什么话要说，在电话里说更好。或者，送一份电子邮件给对方，省得去买漂亮的信封和信纸。真的想写几个字，也只会写在纸上，传真出去。

除了回读者的信之外，我也很久没写过信了。

曾经，在一场激烈的争吵之后，我写了一封很长很长的信。写完之后，心里舒服了很多。这是我心里所想的，但我不知道怎样说出来，唯有写下来。

信写好了，不是寄给对方，而是亲手交给他。他看到了，良久说不出话来。

然而，我写的，是不是我的全部呢?

一旦下笔，人总不免把自己描写得美好一点。既欺人，也自欺。我但愿自己有如自己所写的那么深情。

我是吗?也许是，也许不是。

即使不是书信，而是说话和电子邮件，也都是一种感性的美化。感性，是我不知道自己有多少真多少假。

也许，多少真多少假也无关重要。在爱情里，有多少人自问由始至终都是百分之百的真，从来没有修饰过自己，也从来没有说谎?那百分之三的假，只是想把对方永远留在身边。

一些愚蠢的说话

有些问题，我们明知道是愚蠢的，却总是忍不住会问。

在街上碰到朋友时，我们会问："逛街吗？"

在雍厅碰争友,："来吃饭吗？"

打电话到朋友家里，他接电话时，我们说："你没出去吗？"

在戏院里碰见对方一个人看电影时，我们说："一个人吗？"对方又会笨笨的回答："是的，一个人。"

在诊所里碰到对方也来看医生，我们说："你生病吗？"每次碰到那些我们认识却不熟络的人，我们只会问些愚蠢的问题。我们无法聪明点，因为大家根本没有别的话可以说。

我们的蠢话当然不止这些。我们会问刚刚分手的男朋友：

"你现在很快乐吧厂(那还用说？)

"你近来好吗？"(关我什么事？)

"听说你在跟人约会？"(我仍然在乎他！)

"你不觉得自己对我很差劲吧？"(那又怎样？)

"我很挂念你！"(算了吧，他是不会回来的了！)

别人的浪漫

每次听到别的女孩子诉说她们的男人怎样浪漫时,我们也叹为观止。他在她生日之前的一年已经暗中在世界各地订购不同品种的玫瑰花。到她生日的那天,花送来了,有一百多枝,每一枝都是不同的。那束花太大了,进不了偌大的会议室。

当她回到自己的办公室,桌上还有一份生日礼物。然后,每隔一小时,又是一份礼物。那个时候,她正怀着第一个孩子。

另一个她,在生日的那天,跟丈夫和另一对夫妇一起吃法国菜。头盘上来了,掀开盖子,人家碟子上的是食物,她的碟子上,是一条漂亮的珍珠项链。吃主莱的时候,掀起盖子,人家的是食物,她的是另一份礼物。她感动地说:"我急不及待要吃甜品了!"

这些情节,多么像电影?却是真的。为什么我们从来没有过一个这么细心和浪漫的男人?听别人的故事时,我们微笑表示自己也能感染她当时的幸福。回到家里,看见自己的男人,我们忽然觉得非常气愤。为什么你不像别人这么浪漫?他却说:"如果我这样做,我怕会吓坏你呢!"

哼!借口! 既然想到为什么不做? 然后,我们不得不承认,我们爱上的那个男人,是毫不浪漫的。或者,我们微笑着安慰自己说:浪漫是没得比较的。

由奶妈妈代答

最近跟一位男士和他的女朋友一起吃饭，我是第一次见他的女朋友。

"最近忙些什么?"我问他。

"他近来……"那个女人代他回答。

后来，大家正在讨论一件事情，我问他："你有什么看法?"

他还没有开口，他女朋友已经代替他说："他认为呢……"

一顿饭下来，她几乎替他回答了所有的问题。席上还有其他人，其他人的问题，也是她抢着替他回答。他根本没机会表达自己的意见。在她面前，他只是她的儿子。

是的，她爱他，照顾他，保护他。他在事业上的每一个决定，她也很清楚。他每天的工作和生活，她了如指掌。不爱他，才不会为他那么费神。她也知道自己为他付出了很多，所以，在别人面前，她毫不介意流露她对他的爱。每一次，当她替他回答问题，目的不是那个答案，而是那个答案背后的意义。她要告诉大家："你们看!我多么了解他!没有人比我更在乎他!"

这种爱，会不会太疲累，也太霸道了?我看到那个男人一直低着头吃饭;也许，他是很想自己回答问题的，但他已经习惯了由"妈妈"代答。

我的墓志铭

很多名人也被人间过以下这个问题：

"当你死后，你希望你的墓志铭上写些什么?"

已故美国名作家阿瑟·米勒的答案是：

"这是一个辛勤工作的人。"

有线电视新闻(CNN)的创办人泰德·透纳则说："我不希望我的墓志铭中说：'我企业旗下没有无线电视台'。"

我没有被人问过这个问题，证明我不是名人。假若我问自己，那么，这一刻，我会希望我的墓志铭上刻着："这是一个快乐的人。"快乐是最好的。它包含了许多我们想要的东西：美好的爱情、肝胆相照的朋友、可爱的家人、幸福的生活、好的际遇、自己喜欢的工作、美食、旅行。没有妒忌、没有怨恨、也没有后悔。

我不要是一个追寻快乐的人，我要是"一个快乐的人"，追寻的人，不一定找到 快乐。快乐的人，已经找到快乐了。

一个美丽的念头

朋友说，许多年前，当他去到美丽的塞班岛，他曾经有一个念头，他要放弃营营役役的生活，移居到这个小岛上。

许多年后，他依然穿梭于几个城市之间，为自己的事业而奋斗。当年的一个念头，的确只是一个美丽的念头。今天，每当他忙得喘不过气来的时候，他也会怀念自己曾经有过这个念头。

活在大都市的人，是比较不快乐的。中国人不快乐，日本人不快乐，香港人也不快乐，美国人快乐，因为他们天真。期望愈高的人，愈容易不满现状，也就愈难找到快乐。印度贫富悬殊，但人民的快乐指数高，也许是因为他们对人生的期望比较低。

我们对自己有期望，那是因为我们活在这里，还是因为我们生来便不甘平凡?日子久了，我们自己也分不清楚。难得去到一个美丽而清静的地方，那一刻，我们不禁跟自己说:"人这么辛苦干吗呢?回去之后，我不要再做这么多事情了，我不要成为工作的奴隶，我要好好的享受生命。"

可是，一旦回到工作岗位，我们便忘了自己在假期里那个美丽的念头。

那只是一闪而逝的想法，是个奢侈的念头，而从来不是一次顿悟。

每一天也是恩赐

曾经有一个女孩子跟我说，妈妈死后，她才知道做家务是多么的辛苦。妈妈在生的日子，她连衣服也不用洗。

当你发现人生无常的时候，你有否为自己拥有的一切而感谢上天？我们有所爱的人，有爱我们的人，有父母的爱、兄弟姊妹、朋友和情人的爱，这是多么难能可贵？

有健康的身体，可以做自己喜欢做的事，吃自己喜欢吃的东西，这是多么的幸福？

我们睡觉的地方，有一个可以歇息的怀抱。每天早上醒来，可以呼吸一口新鲜的空气，可以看到蔚蓝的天空、朝露、晚霞和月光。这一切，原来不是应得的。

我们有一颗乐观的心灵，有自己喜欢的性格和外表，有自己的梦想，可以听自己喜欢的歌。这一切，都是恩赐。

当我们拥有时，我们总是埋怨自己没有一些什么。当我们失去时，我们却忘记自己曾经拥有些什么。

我们害怕岁月，却不知道活着是多么的可喜。我们认为生存已经没有意思，许多人却正在生死之间挣扎。

什么时候，我们才肯为自己拥有的一切满怀感激？

也是一种祝福

收到署名 Lueliza 的读者一张图文并茂的电子邮件。内容是这样的：

我们每天早上起来的时候，都挣扎着不想去上班。但我们没得选择，于是，我们只好起床梳洗。

去洗手间。

吃早餐。准备上班。

在办公室，我们工作一整天，还要看到自己不喜欢的人。

和我们最亲近的，是案头上的电脑，它有时却很讨厌。

我们做到想死为止。

工作之后，还要工作。

上床之前，我们翻看日历，渴望周末和假期快点来临。

这便是我们的生活……"

是的，这是大部分人的生活。

然而，有一天，你会发觉，能够这样过日子是多么的幸福。

有所爱的人，有至亲，有工作，有睡觉的地方，有吃的东西，有诉苦的对象，有健康的身体，没有任何的意外……寻常生活，也是一种祝福。

我对自己说谎

女孩在电话里跟相恋四个月的男朋友说："我爱你!"

男人听了之后，却说："不可能的！" 她问："为什么?"

他说： "我们相识的日子这么短，你怎可能爱我?"

她很伤心，她认为他的潜意识里是不爱她的。因此，当他听到她说爱他时，他觉得 不可能。

她想，这个男人是永远不会爱上她的吧?

每个人所信仰的爱情也有一点分别。两个人能够相爱，是因为大家信仰的爱情相同。有人认为爱情是电光火石之间的感觉，暂短如每夜星星闪亮的时光；以后的日子，也只是感情。有人相信爱情是悠长的，是经得起岁月考验，也是由岁月来凝练的。爱情里包含照顾、了解和责任，是人间相伴。

假如她男朋友信仰的是第一种爱情，他会说："我也爱你厂他说："不可能的广因为他信仰的是第二种爱情。四个月的爱，是谎言。

曾几何时，在一段短暂的时光里，我们以为自己深深的爱着一个人。后来，我们才知道，那不是爱，我只是对自己说谎。

爱情是一种交换

朋友感慨地说：

"许多事情都要交换的呀！"

他跟人谈生意，要拿许多东西来跟对方交换。若不是互相交换条件，那桩生意也许做不成。

有条件和别人交换，不是很好吗？

我说："你应该应幸自己有可以跟别人交换的东西。"

在任何机会来临之前，我们首先要装备自己。所谓装备，便是累积。你要累积自己的价值，使自己变成是值得交换的。那么，当机会来了，你可以拿出去跟人交换一些更好的东西。

假如你从来不累积，你拿什么去跟人交换呢？机会是不会等你的。

今天，你在工作上所付出的努力，都是预备有一天要拿出去换一些东西回来，那便可以提升自己。

能够和人交换，毕竟是幸运的。

感情不可以交换。然而，你努力去累积优点，始终能够交换到好一点的东西。

你不思进取，自然换不到好一点的对象。

你不聪明，不自爱，也换不到一份有质素的爱情。

形而下的爱情，是彼此交换条件。形而上的爱情，是彼此交换智慧和心灵。

往事，是没得介意的

对于情人的过去，聪明的你，还是不要问得太详细。你可以知道他们怎样认识和分手，然而，千万不要追问他们相处的情景。

你知道来干什么呢？知道情人的情史，是为了更了解他。可是，你并没有必要了解他胂旧情人。好奇，也要留有余地，留一点空间给对方和自己。

逼他说出某年某天的一个情景，譬如说，他曾经和她在沙滩上睡丁一晚、他在某家餐厅里送过什么礼物给她……他说得那样坦白，而你又知道得那么清楚，你便会把那一幕幕情景在心中重演，没法磨灭。愈是重演，愈是妒忌；然后，你开始怀疑他爱她更多一点。

关于床上的情景，尤其不可以问的。知道之后，每当你和他亲热，你脑海里也会浮现他和另一个女人的亲热的那一幕。然后，你会忍不住探听：

"你和她也是这样的吧？"谁没有过去呢？前尘往事，是没得介意的。知道了，便身不由己，要不介意也不容易。不知道，那就无从介意了。过了二十五岁，不要再做这种傻事；因为，到了这个年纪，你也有了许多不想说出来的过去。

沉默的等待

当你感觉你所爱的那个人在背叛你，你也许是仍然会假装不知道的。

假装不知道，是逃避，是自欺，也是等待。

暂时保持沉默，事情也许会变好。那就给他一个机会，也给自己一个借口。

沉默，也许是可怜的，希望他被你的沉默感动。你不可能不知道，你只是不去揭破，因为你舍不得离开。

我们沉默地等待，等待对方觉悟和珍惜。直到发觉对方不会觉悟和珍惜，我们才没有办法自欺下去。

不要以为你所爱的那个人什么也不知道，不要把他想像得太愚蠢，他只是伤心地等待，等待你抉择。

一旦说了出来，彼此也没余地了。

一些作为第三者的女孩子说："他女朋友怎么可能不知道呢?她为什么还要容忍他？"

谁说她不知道呢?她只是在等待。假若承认自己是知道的，那便没有借口忍受。她总要给自己一个幻想，也给自己一个下台阶吧?

不用等待的人，是幸福的。他们怎么会理解等待的榜徨和难过?

骗人的魔法

每个小孩子都相信世上有魔法和神奇力量，我们小时候看的故事书不都是这样说的吗？

看到门关上了，只要高喊："芝麻开门！"那扇门便会打开。

当我们过着困苦的日子时，我们以为，有一天，神仙会来奖赏我们。

叮当会在他的八宝袋里掏出一件法宝，帮我们达成愿望。

我也许会拾到一根神仙棒，只要挥一挥神仙棒，功课便自动做完，考试也难不倒我，爸爸妈妈也不会再吵架。

当我长大了，我会找到一位王子。

不相信世上有魔法的孩子，是没有童年的孩子。

然而，当我们长大了，我们才惊讶地发现，这个世界并没有神仙，也没有神仙棒和一只会法术的猫。打不开的时候，只能去找锁匠，而不是大叫"芝麻开门"。工作做不完，也不会有神仙代劳。

小时候，大人为什么要让我们相信世上有魔法呢？你知道吗？后来当我们发现这一切都不是真的，我们多么的失望？

这些谎言影响了我们一辈子。终其一生，当我遭遇不如意时，我们仍然期待神仙带着奇迹降临，虽然我们明知道不可能。

可怜的逃避

当你无缘无故被人所恨的时候，不要生气，也许，你是做了一件好事。

有些人要找一个人来恨，那样，他才能够把生活里所有的不如意转移到他恨的那个人身上。也只有如此，他才能够解释自己所有的不如意。

他恨的对象，通常是在他们身边的。那些人拥有他们得不到的东西。从此以后，这些人变得可恨了。

有一个恨的目标，怀恨的人，也就有了生存的目标和力量。他们每天留意自己所恨的那个人的一举一动，甚至刻意接近他，找出报复的方法。他们不肯承认自己的不如意是自己的问题，他们只肯相信，那是因为世上有许多可恨的人霸占了其他人的东西。

被恨的人，是没有痛苦的。

去恨的人，却是伤痕累累的。一天，他发现无论他怎样恨一个人，也没法令自己变得快乐。然而，他已经没有别的选择了，他只能继续恨下去。

他们会恨一个朋友，恨一个不认识的人，甚至去恨一个自己曾经爱过的人。

长久地恨一个人，只是对自己的一切不愿负责任。恨，是一种可怜的逃避。当你被人所恨，你是比恨你的人幸福的。

我不在这时在

即使你不相信前世和来生，也不相信轮回再世；死去的人，仍然能够以另一种形式活着，他们活在别人的回忆里。

人是不会死的。生命有限，感情却是无限的。我们不是正在读着前人所写的书，唱着前人所作的曲，也欣赏着前人所画的画吗？

唯有相信世上有无限的可能，活在当下，才有了更深的意义。一个女孩子抄了一首诗给我，这是人们在一位死去的士兵身上找到的。

我把诗翻译了：

(我不在这里)

"不要站在坟墓旁叹息流泪，

因为我不在这里，我也没有睡着。

我是扬起了千千遍的风，

我是雪地上闪烁的白光，

我是拂照着田野的太阳，

我是秋天里温柔的风，

我是夜空的星星，

不要站在我坟前哭泣，

我不在这里，我没有消逝。"

回忆和思念，是不会消逝的。

只是一个心愿

当我们很想拥有一件漂亮但昂贵的衣服时，我们会游说自己："它的款式这么简单，永远不过时，可以穿一辈子呢!"

如果用一辈子的时间来计算，那件衣服实在太便宜了，于是，我们心安理得地拥有那件衣服。

当我们想买皮包和鞋子的时候，我们又会以同样的理由说服自己。鞋子不可以穿一辈子，但是，它的款式那么耐看，起码可以穿两年吧?

于是，我们的衣柜里拥有许多可以用许多年，甚至一辈子的东西。结果呢?

我曾经拥有一条很漂亮的半截裙。这条深蓝色的裙子没有拉链或钮扣，穿的时候，只需要在腰间打两个结就行了。我爱死了这条裙子。五年前，我几乎天天穿着它，我以为我会穿一辈子。然而，这几年来，我碰都没碰过它。它仍然没有过时，却不再新鲜。

有多少东西，我们曾经以为自己会爱一辈子?一辈子的盟约，总是在我们最想拥有对方的时候许下的。那个时候，我真的这样想……

遇上那个人的时候，我们以为自己会爱他一辈子。他已经这么好了，我怎可能爱上别人?然而，岁月会让你知道，一辈子的心愿，真的只是一个心愿。

一只澹泊一蟑螂

这一天，在寺院里吃了一顿青菜豆腐，非常的澹泊。同行的朋友说："你尝不到澹泊之中的美味吗？"

我只觉得澹泊，不觉得美味。喝豆腐汤的时候，我会想像，如果在锅里放一只螃蟹，味道会好得多。吃青菜的时候，我又会想，如果能够有一尾清蒸鲜鱼，这顿饭就很丰富了。

澹泊是一种境界，我还没去到那个境界。朋友说，他想去参加十天静修。而我呢，我一直也想出家七天。但听人说，这种七天和尚的活动已经没有再办了。

我们每天营营役役，俗不可耐。一旦静下来的时候，总是渴望自己能够尝试一下澹泊的生活。能够澹泊，仿佛是一种觉悟和修养。

什么是澹泊？

也许不会是一顿素菜那么简单，也不是 在寺院里诵经念佛。澹泊是一种心志。有人天生澹泊，有人要尝尽了奢华才领略到澹泊的宁静。

可是，当我们依旧在情爱中浮沉，依旧因为思念别人而痛苦，我们距离澹泊还是很远很远。

吃最后一道菜的时候，我看到地上有一只瘦小的蟑螂爬行，于是，我指着这只在寺院里生活的蟑螂跟你说："这是一只澹泊的蟑螂。"

对于自己的负担

当那个人不再爱你了，那就不要让他成为你的负担。

仍然想念他，仍然希望他回心转意，这是对自己的负担。

认为他只是暂时迷失了，或者是受到其他事情的诱惑，这种想法，也是负担。

为他找许多借口，或者，自己跟自己说："虽然他不爱我，但我会等他，我会为他做任何事。"这种爱，并不是对他宽容，而是对自己的严厉。

每个人都有自己的人生。当爱情消逝了，你尽过努力却仍然无法挽回，那么，也就应该心甘情愿的放手了。

你对他的看法，他并不会同意。你继续对他好，他也不一定领情。他只会认为你不肯相信他已经不爱你了。

两个人一起的时候，我们也无法改变对方，何况是分开之后？

对于分手的情人，我们唯一再能付出的深情，便是当他有需要的时候，我会在他身边出现。他不需要我，我会消失。其他时候，我们已经是两个互不相干的人了。

不要怀恨，也不要有任何的期望和幻想，不要让已经永远没有可能回来的人成为你的负担。唯其如此，你才能够放开怀抱，去寻找快乐。

欲望的鸵鸟

有些说话，我们是不敢说出来的。一说出来，恐怕便会成为事实。

明明已经感觉到对方不爱自己了，我们始终不敢说；"你是不是不再爱我？"

一天不说出来，一天还不是真的。说了出来，那就是事实了。

明明已经等于分手了，我们不敢说："你是不是要跟我分手？"

不说出来，还可以当作没事发生；说了出来就是要逼自己接受残酷的事实。

也因为这个缘故，无论疾病、失业、成绩不好、际遇不如意，我们也不肯说。我们也讨厌把事实说出来的人。我自己都不想说，你为什么要告诉我 y 你以为我不知道吗？

我们不是神仙，我们没有任何的魔法能使自己说出来的话变成事实。正正因为我们不是神仙，我们没法改变事实。逃避的方法，唯有不说。

只要我不肯说出口，那个事实还是很遥远的，是天涯一样的远。若我说出来，便是近在嘴边，是咫尺一样近。

我们是可怜的鸵鸟，纵使知道爱的感觉已经消逝了，还是不敢问：

"你是曾经爱过我的吧？"

鸵鸟的卑微的欲望，便是逃避一切自己会为之伤心流泪，却又无法改变的事实。